Trois réveils

DE LA MÊME AUTRICE

Une femme discrète, récit, Montréal, éditions Québec Amérique, 2014.

« Cinquante minutes », nouvelle, dans *L'amour au cœur de la vie : 15 regards sur l'amour*, collectif dirigé par Valérie Harvey, Montréal, éditions Québec Amérique, 2017.

Catherine Perrin

Trois réveils

roman

XYZ

Catalogage avant publication de Bibliothèque et Archives nationales du Québec et Bibliothèque et Archives Canada

Titre: Trois réveils / Catherine Perrin.

Noms: Perrin, Catherine, auteur.

Collections: Romanichels.

Description: Mention de collection: Romanichels

Identifiants: Canadiana (livre imprimé) 20190035986 | Canadiana (livre numérique) 20190035994 | ISBN 9782897722180 | ISBN 9782897722197 (PDF) | ISBN 9782897722203 (EPUB)

Classification: LCC PS8631.E77616 T76 2020 | CDD C843/.6—dc23

Les Éditions XYZ bénéficient du soutien financier du gouvernement du Québec par l'entremise du programme de crédit d'impôt pour l'édition de livres et de la Société de développement des entreprises culturelles du Québec (SODEC). L'éditeur remercie également le Conseil des arts du Canada de l'aide accordée à son programme de publication.

Financé par le gouvernement du Canada | **Canadä**

Édition: Myriam Caron Belzile
Conception typographique et montage: Édiscript enr.
Révision linguistique: Isabelle Pauzé
Correction d'épreuves: Anne-Laure Brun
Graphisme de la couverture: René St-Amand
Illustration de la couverture: little_honey, iStockphoto.com

ISBN version imprimée: 978-2-89772-218-0
ISBN version numérique (PDF): 978-2-89772-219-7
ISBN version numérique (ePub): 978-2-89772-220-3

Dépôt légal: 1er trimestre 2020
Bibliothèque et Archives nationales du Québec
Bibliothèque et Archives Canada

Diffusion/distribution au Canada:
Distribution HMH
1815, avenue De Lorimier
Montréal (Québec) H2K 3W6
www.distributionhmh.com

Diffusion/distribution en Europe:
Librairie du Québec/DNM
30, rue Gay-Lussac
75005 Paris, FRANCE
www.librairieduquebec.fr

Imprimé au Canada

www.editionsxyz.com

À mon père, à Julien,
aux esprits curieux qui savent utiliser leurs mains.

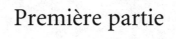

Première partie

Antoine ouvre les yeux dans le noir. Demeure parfaitement immobile, mais passe, en une fraction de seconde, de l'inconscience du sommeil à une vigilance aiguë.

Le dessin de ses veines et artères prend vie de l'intérieur, comme si le sang, légèrement surchauffé, marquait son trajet de plus en plus rapide à la grandeur du corps, accélérant le cœur au passage.

Un torrent gonflé qui emballe une roue à aubes.

Activées par un courant électrique, des milliers d'aiguilles miniatures veulent soulever sa peau. La propulser vers l'extérieur, la métamorphoser en une membrane surpuissante.

Le début d'un superhéros.

Son cerveau fait du bruit, beaucoup de bruit. Vacarme d'idées, de voix, de sons métalliques, de musiques glorieuses embouties les unes dans les autres. Antoine se lève, la bouche ouverte, les yeux élargis, puissant. Trois heures de sommeil ont rechargé la batterie de secours, la seule qui fonctionne depuis des semaines.

Il doit sortir.

Faire savoir, de toute urgence, ce qu'il vient de pressentir sur l'origine de la musique. De son rêve, il retient avidement les parcelles qui pourraient filer : une caverne, un humain primitif, le son de l'eau, un os d'oiseau.

Il doit révéler, vite.

Cinq heures trente du matin : il pense à cette ancienne connaissance de l'école secondaire, devenue journaliste à la radio, en ondes très tôt. Perdue de vue depuis longtemps, même pas certain qu'ils ont été amis.

Elle connaît la musique, comprendra l'importance de ses découvertes.

Lui donnera accès à un micro, c'est tout ce qui compte.

Il tire les rideaux et s'habille machinalement, préparant son allocution à mi-voix. Le soleil de mai pointe, les premiers oiseaux font de la figuration dans son monde agité. Ses grandes enjambées le mènent rapidement à quelques coins de rue, au pied de la tour de la radio.

La porte principale est sécurisée à cette heure. Il doit parler, par une petite boîte métallique, à un gardien de sécurité installé près de l'entrée. Il explique avec beaucoup trop de mots l'urgence de sa démarche. Se tait brusquement. La boîte métallique émet un silence sale. Puis, la voix perplexe du gardien demande lentement à qui il veut parler, exactement. Il répète le nom de la journaliste, ajoute qu'elle est certainement dans le studio de l'émission matinale. Le gardien, prudent, lui dit d'attendre.

Antoine marche de long en large devant la porte, tournant en épingle après quelques pas brusques, pour ne pas s'éloigner de la petite boîte.

Des minutes.

La boîte émet soudain un clic disgracieux, suivi du crachat de sa basse fidélité. Puis, on entend le gardien déglutir, mal à l'aise. Lui explique que la dame ne peut pas le recevoir pendant l'émission. Elle fait dire au visiteur d'écrire un courriel, en allant sur le site internet.

Antoine s'énerve, revendique l'urgence, agite ses longs bras devant la porte, donne un coup de pied dans une poubelle. Le gardien se sait à l'abri. D'un ton ennuyé, il évoque la possibilité de faire venir la police. Antoine le traite de crétin, mais se retourne subitement pour quitter les lieux, le pas furieux. En remontant la rue Panet, déjà, il cherche une autre solution.

Il doit sauver le monde, par la musique.

Sauver le Monde par la Musique : il voit les majuscules emphatiques en pensée.

SAUVER LE MONDE PAR LA MUSIQUE.

Plus l'idée hurle dans sa tête, plus ses découvertes, fulgurantes au réveil, sont confuses. Mais il est certain qu'elles sont là, déposées dans son corps survolté.

Rendu à la rue Sainte-Catherine, il tourne à gauche et s'arrête net au coin de la rue suivante : « rue de la Visitation ». Il la prend, comme un message, redescendant vers la tour sans hésiter ; il va y retourner, reparler au gardien, attendre l'ouverture des portes au besoin.

Une Visitation. VISITATION.

Il marmonne les bribes décousues qui remontent de ses rêves, fonçant vers le soleil levant, parfaitement en ligne avec la rue qu'il descend. L'euphorie revient : le soleil, encore doux, inonde son cerveau, entrant en ligne directe à la hauteur des yeux.

Il va marcher dans cette lumière, et tout ira bien.

Le soleil, si parfaitement aligné à la rue de la Visitation, qu'Antoine le confond avec le feu de circulation.

Le soleil l'invite, comme un feu vert ; il doit traverser le boulevard maintenant, il va entrer dans la lumière.

Les mots crient en lui, le métal sonne dans ses oreilles, la musique glorieuse, les oiseaux.

Tout ça masque l'auto qui fonce.

Un chauffeur légèrement distrait, habitué au petit matin sans histoire. Il n'a pas vu Antoine.

Le grand jeune homme arque bizarrement le dos en encaissant sur son flanc gauche le choc qui vient libérer, en un spasme orgasmique, l'énergie délirante des trois derniers mois.

Hier matin, Antoine a repéré deux anneaux métalliques, vissés à cinquante centimètres l'un de l'autre dans la courbe du plafond bétonné de la station Beaudry.

Pile à l'endroit où il s'était installé pour jouer, sous l'une des fameuses lyres du métro, dessin officiel signalant un lieu autorisé aux musiciens.

Il venait de se demander comment captiver son auditoire fuyant quand il a aperçu les anneaux.

Pendant que les gens passaient, indifférents à la musique, son regard est remonté plusieurs fois vers les petites pièces métalliques, sans doute oubliées là après un usage inconnu. Antoine soufflait dans l'instrument, ses doigts bougeant machinalement, mais son esprit s'envolait ailleurs. Incapable de deviner à quoi les anneaux avaient pu servir, il imaginait peu à peu une façon de les utiliser.

Après cinquante minutes de musique, un petit huit dollars dans le chapeau, Antoine a remballé son hautbois : neuf heures trente, la quincaillerie serait ouverte. Il a rapidement trouvé du fil de nylon et un œillet métallique, beaucoup plus petit que ceux du métro.

Ce matin, il se lève avec curiosité : moins lourd, moins déçu d'émerger d'un sommeil opaque, sans rêves. Un sommeil sous surveillance chimique qui le garde en sécurité et annonce, depuis des mois, des journées trop lisses.

Tout est prêt.

Il a repêché le serpent en caoutchouc, dans le fond du minuscule garde-robe, près de l'entrée de son appartement. Le jouet avait attiré son regard, pendant à moitié d'une benne à déchets, un mercredi trop chaud de la fin juin, alors qu'Antoine traînait péniblement sa jambe rapiécée dans la ruelle.

Juste après son séjour en réadaptation ; trois interminables semaines pour réapprendre à marcher, en sortant de l'hôpital.

S'il avait craint les serpents, il aurait eu la peur de sa vie tant l'animal est réaliste. Il l'avait nettoyé puis oublié sur le plancher de la salle de bain, faisant hurler sa sœur, de passage le lendemain. Depuis, le serpent était resté caché dans le garde-robe.

Ce matin, il va entrer en scène.

La place est libre sous la lyre, juste en bas de l'escalier. Le musicien commence par mettre un panier au sol. Un foulard soyeux masque le serpent, roulé sur lui-même dans le panier. Le fil de pêche, attaché à l'animal par le petit œillet vissé dans sa tête de caoutchouc compact, monte vers le premier anneau du plafond, court jusqu'au deuxième, puis redescend vers le pavillon du hautbois, auquel il est solidement attaché.

Après quelques essais, Antoine a compris comment décrire des cercles lents et réguliers avec l'instrument, enroulant subtilement le fil de nylon autour du pavillon, pour que la tête du serpent émerge doucement. La lourdeur du caoutchouc fait contrepoids ; dès qu'il inverse la direction des cercles, la tête du reptile redescend, se cachant dans le tissu léger du foulard.

Il improvise, fouillant dans ses souvenirs enfantins de charmeurs de serpents, croisés en dessins animés. Clichés orientalisants, soulignés par le mouvement du corps, aussi expressif qu'utile. Il s'amuse à la fois du ridicule de l'expérience et de son efficacité.

Les gens qui sortent du métro ne sont pas dans le bon angle et ratent d'abord la mise en scène. Mais très vite, quelques voyageurs qui se dirigent vers le quai s'arrêtent.

En jouant, il observe leurs réactions.

Étonnement, frayeur, ou soulagement d'avoir compris et sourire complice. Un cri de surprise attire à l'occasion le regard de gens pressés, sur le point de passer tout droit. Même eux ralentissent le pas, le temps de saisir. Le vieux bol en étain, près du panier, se remplit de pièces et de quelques billets.

La foule est moins dense : bientôt neuf heures. Antoine a joué pendant près d'une heure sans sentir la fatigue.

Il prend une courte pause et vient de recommencer son numéro lorsqu'une petite fille qui semble seule descend l'escalier en sautillant. Elle porte un drôle de poncho presque blanc, avec des franges laineuses et un capuchon à oreilles de chat. Elle agite ses mains sous le vêtement, semblant battre des ailes en descendant, mais s'immobilise soudain devant le musicien et son reptile. Sa main droite émerge du poncho. Elle tient une flûte à bec en plastique, du même blanc crème que le vêtement, qui s'arrête comme une flèche tendue vers lui. Puis, montant du quai, un grand jeune homme au visage très pâle entouré d'un épais capuchon noir surgit et s'arrête lui aussi. Son hoodie est aussi densément noir que le poncho de la fillette est candidement blanc ; ils sont à la fois incompatibles et complémentaires. Une troisième silhouette passe et s'arrête. Troisième tête couverte, de gris cette fois. Une femme en hidjab. Les regards se croisent, s'ouvrent furtivement. Le jeune homme pointe le fil de nylon presque invisible à l'intention de la femme, qui hoche la tête en souriant.

La petite fille écoute, dessine la mélodie du bout de sa flûte. Elle ne voit que le serpent, mais n'a pas peur.

—

En visitant le Conservatoire de Québec pour la première fois, Antoine a compris que s'il y devenait étudiant, la musique serait à lui; il allait échapper à son père et la faire sienne.

Un père mélomane, c'est encombrant: il connaît tout. Les compositeurs, le thème du mouvement qui va suivre, quand une symphonie joue à la radio. Il admire de grands interprètes intimidants.

L'adolescent a été imprégné par son amour de la musique, mais ne veut pas ou ne veut plus faire de la musique pour le père. Il doit trouver son territoire. Il joue du piano depuis quelques années, avec talent et facilité mais sans génie, et surtout sans oser arrêter, sans oser décevoir.

Chez lui, le piano est sage. *Inventions* de Bach, sonates de Haydn. Le père écoute à distance, avec satisfaction, les classiques qui prennent vie. Depuis peu, s'est ajouté le cinquième volume des *Mikrokosmos* de Bartók: dissonances, rythmes irréguliers, mélodies atonales qu'il trouve étrangement expressives.

Antoine a treize ans et commence à vibrer.

Dans un sous-sol pas loin de chez lui, chez son meilleur ami, il y a un autre piano. Il y a aussi une basse électrique, la trompette du grand frère déposée sur une table et des percussions qui traînent partout. Un soir que les deux amis s'amusent autour du piano, le frère et ses copains se pointent et commencent un jam.

Une amie du frère s'assoit à sa gauche sur le banc du piano, pour improviser. Une fille menue, aux cheveux lisses et noirs comme ceux d'Antoine, l'œil bridé très vif, un petit anneau à la narine droite. Elle lui fait signe de s'ajouter, dans l'aigu du clavier. Il commence par doubler ce qu'elle fait, une octave plus haut : des quintes obstinées se déplaçant peu à peu. C'est sauvage, percussif, répétitif ; c'est le contraire de ce qu'il a appris à faire, mais le plus extraordinaire, c'est qu'il peut le faire d'instinct. La fille sourit, heureuse de l'effet. Il ose en faire plus, effleurant de son coude gauche le bras droit de sa partenaire. Le grand frère, réputé mauvais caractère, les observe du coin de l'œil en jouant de la trompette.

On frôle la cacophonie, puis les mouvements se calent et s'imbriquent : certains moments sont fugitivement parfaits. Ils le sentent tous en même temps, se regardent en souriant. Un peu plus loin, une bifurcation moins heureuse les force à travailler fort pour se retrouver.

L'amour, ou l'agitation des sens à laquelle on donne ce nom, se mêle à tout ça, et la dernière figure qu'on veut voir faire irruption dans ce paysage, c'est celle du père.

Alors il oublie l'heure, oublie le père, et il explore.

Il rentre épuisé et heureux, se glissant assez discrètement pour ne pas attirer l'attention de l'homme aux écouteurs, perdu dans un quatuor de Mozart. Les yeux fermés et un scotch à la main, dessiné dans un nuage de Gitanes.

Quelques jours plus tard c'est lui, le père, qui propose la visite du Conservatoire, exceptionnellement ouvert au public pour recruter la relève. À Québec, le Conservatoire est derrière le Grand Théâtre, mais sous terre. Éclairé par une cour intérieure, il a tout de même l'aplomb d'un bunker.

On explique aux visiteurs, avant de les laisser descendre, qu'en temps normal les parents doivent rebrousser chemin en haut de l'escalier. Ravi par cette information, Antoine imaginera tout le parcours qui suit sans ses parents, même si ce jour-là ils sont tout près, avec aussi la petite sœur qui s'ennuie.

Plusieurs étudiantes croisées pendant la visite semblent transporter avec elles la promesse de l'héroïne romantique. Seize ou dix-sept ans, l'air absorbé, habitées par une page musicale récalcitrante ou par une création en gestation. La beauté qui s'ignore, captée par lui seul, dans un tourment que lui seul saurait apprivoiser ; les garçons timides se fabriquent souvent des histoires d'amour compliquées pour s'autoriser le désir.

Le Conservatoire, où il entrera quelques mois plus tard, sera à la fois un laboratoire humain et une plongée dans un monde d'une exigence folle. Une première tranche, sur quelques années, de ces fameuses dix mille heures qu'on dit devoir consacrer à quelque chose, si on veut atteindre l'excellence.

De la dictée musicale à une voix, puis à deux, à trois voix et même à quatre. Apprendre à écrire les sons qu'on entend. À réduire la musique à une notation qui n'est pas beaucoup plus qu'un squelette. Du solfège en clé de *sol*, en clé de *fa*, puis dans une série de clés plus ou moins utiles : véritable torture pour le cerveau qui doit transposer au fur et à mesure ce qu'il lit pour le chanter correctement, en prononçant le nom de chaque note dans la bonne clé.

Mais il y a l'instrument, le beau piano du Conservatoire, au son tellement plus rond et puissant que le petit instrument de travail qu'il a chez lui.

Antoine s'enferme dans le studio et joue avec volupté, en abusant souvent de la pédale pour que l'instrument sonne aussi large que possible. C'est là, dans ce studio bien isolé, loin de la maison familiale, que s'opère le phénomène nouveau qu'il espérait : la musique l'habite, traverse son corps pour prendre vie. Il peut enfin choisir de l'aimer par lui-même, pour elle-même.

Il improvise sur des arpèges romantiques, puis sur des accords empruntés à Bartók. Bien réchauffé par cette vague de son, il travaille. Fronce les sourcils, décortique ligne après ligne des pièces nouvelles, s'impatiente de faire des fautes – interdites – en relisant la page. Resserre la concentration. « Il faut jouer un passage trois fois de suite sans erreur pour être certain de l'avoir bien appris. » C'est le mantra répété par tous les professeurs.

Les doigts commencent à se délier, à devenir agiles. Mais il fait encore des fautes, trébuche parfois quand il en a plein les mains avec une fugue de Bach et que la concentration faiblit.

Maudite perfection. Demandée, attendue, impossible.

Après quelques mois, Antoine est déchiré : il vit désormais pour la musique, mais sent bien que le progrès rapide exigé dans la classe de piano dépasse ses forces. À quatorze ans maintenant, le rattrapage est impossible.

C'est par hasard qu'il découvre le hautbois.

Dans le studio d'un copain, l'instrument attend sur le piano pendant qu'ils échangent des banalités. Presque sans y penser, Antoine le prend délicatement, en parlant. Aime la sensation du bois noir et doux sous ses doigts, des clés qui clapotent doucement. Il interrompt la conversation et demande la permission d'essayer. Surpris, l'ami lui donne un ou deux conseils, surtout soucieux d'épargner son anche fragile, certain qu'aucun son ne pourra sortir au premier contact.

Antoine pince délicatement les lèvres sur l'anche sans l'écraser, et souffle en sentant bien la forte pression d'air nécessaire, appuyée par les abdominaux. Les deux minces parois de roseau vibrent. L'ami lève le regard, incrédule : Antoine joue.

Non seulement il réussit du premier coup à émettre un son pas trop atroce, mais il bouge naturellement les doigts sur les clés, se rappelant les mouvements simples appris sur la flûte à bec de son enfance.

Après, tout va vite. On manque d'élèves en hautbois, on sait que le garçon peine au piano mais qu'il est fait pour la musique, déterminé. Le changement de classe est accepté, le professeur de hautbois, ravi. Anglophone francophile, petit et précieux, habillé de la tête aux pieds chez Ogilvy, à Montréal. Il n'a jamais eu d'élève aussi spontanément doué pour cet instrument étrange et fait tout pour soutenir le sérieux jeune homme – qu'il vouvoie – dans ses nouveaux débuts.

Le professeur improvise, sur le piano du grand studio, des accompagnements ronflants, pendant qu'Antoine joue une délicate pièce baroque. C'est souvent tout à fait hors style, beaucoup trop romantique, il s'en rendra compte plus tard : pour l'instant, il est propulsé dans un monde sonore enveloppant. Il ne croira jamais que le hautbois est un instrument pincé et nasillard ; son premier professeur a su en faire une télévision en couleur.

Antoine progresse vite. Il a une aptitude évidente pour son nouvel instrument, et jouer une seule note à la fois lui semble si simple, après les partitions touffues du piano. Il sait comment isoler et maîtriser les difficultés, même si ses doigts apprennent de nouveaux mouvements.

Son bagage musical n'est pas perdu : il a simplement changé d'adresse.

Pendant des mois, il écoute presque chaque jour le chœur d'ouverture de la *Passion selon saint Jean* de Bach, suivant avidement le dessin des hautbois. Quand il a bien travaillé ses gammes et ses études, il s'exerce à en jouer une partie, ajoutant intérieurement le doux tapis en doublescroches des cordes et les apparitions dramatiques du chœur, sentant toute la charge des dissonances qui se créent sur les longues notes tenues. Dans sa tête, les deux lignes de hautbois forment la clé de voûte de cette cathédrale sonore. Flottant au-dessus de l'édifice, le portrait le plus célèbre de Bach s'anime dans l'espace, sourire mystérieux aux lèvres. Au lieu de la seule main droite tenant une feuille de musique, Antoine voit ses deux mains tenant chacune un fil : c'est Bach lui-même, marionnettiste céleste, qui tire doucement les deux lignes de hautbois.

Comme liée elle-même à un fil invisible, la colonne vertébrale du jeune musicien frissonne quand il joue dans ce décor imaginaire.

Antoine découvre peu à peu que la sensualité est l'un des fluides de la musique. On frôle un instrument, on le touche d'abord un peu en surface, mais on doit en venir à mener un corps-à-corps avec lui.

Devant le piano, il a ouvert les bras et penché son corps.

Il voit le guitariste brandir son manche dans un angle peu subtil, pendant un solo.

Son ami violoncelliste est assis bien droit, mais il a tout de même du bois vibrant entre les jambes.

Pour celui qui joue d'un instrument à vent ou qui chante, le soutien du son part du plancher pelvien.

C'est ce qu'un nouveau professeur de hautbois fait comprendre à Antoine. Après avoir caché le passage d'une ou deux décennies sous une teinture blonde, le petit Anglais a soudain pris sa retraite. Un solide hautboïste en pleine carrière a pris sa place. Avec cet élève brillant mais timide à en être arrogant, toujours étrangement absent de son corps à dix-sept ans, le nouveau professeur a décidé de foncer. Il a su lui parler franchement, en évitant toute ambiguïté.

L'énergie sexuelle est un carburant. Elle fournit le désir, la sensualité du geste musical, le courage, la désinhibition, mais n'est pas une affaire génitale.

— Pas question de bander en jouant du hautbois !

Le professeur va encore plus loin.

— Jouer une œuvre belle et difficile de dix ou vingt minutes, c'est tout à fait comparable à une baise.

Antoine écoute, fasciné et dépassé.

Le maître développe avec éloquence, invoquant l'imaginaire allumé, le contrôle du corps, la concentration des amants. La nécessité, en musique comme en amour, d'être totalement ancré dans le présent et capable d'abandon en même temps. Mais la vie sexuelle de son élève reste une affaire autre, dont il ne veut surtout pas se mêler.

C'est une jeune violoniste qui fait les premiers pas.

Geneviève.

Sérieuse (rares, les violonistes qui ne le sont pas), souriante. Un teint naturel, des vêtements discrets, de petits bijoux délicats. Rien d'ouvertement sexuel chez cette fille, rien qui fasse d'elle une cible de moquerie non plus : sans prise, les gars la laissent tranquille.

Elle a toujours un roman format poche bien ramolli dans sa boîte de violon. Antoine remarque discrètement les titres qui changent. Elle aussi l'a vu lire, seul dans un coin de la cantine. Dès qu'elle s'approche pour lui parler, Antoine perçoit quelque chose. C'est furtif : une odeur délicate, et aussi la courbe discrète d'un sein sous le tricot.

Les musiciens ont la chance de pouvoir s'aborder en disant, comme des enfants : « Veux-tu jouer avec moi ? »

Geneviève lui propose de lire avec elle le concerto de Bach pour hautbois et violon. Il sait que la violoniste, enchaînée à son instrument depuis plus de dix ans, a forcément une lecture à vue redoutable. Il se prépare nerveusement : la pièce n'est pas au-dessus de ses moyens, mais la rencontre pourrait les lui faire perdre.

Geneviève déchiffre véritablement, ayant sorti la partition de la bibliothèque le matin même. Les sourcils froncés, elle se tire bien des longues phrases du premier mouvement. Antoine est soulagé : il assure, se sent à l'aise avec cette jeune musicienne qui a assez d'instinct pour respirer avec lui, même si son archet ne cherche pas l'air.

Vient alors le deuxième mouvement, dialogue affectueux et calme entre les deux instruments. Le hautbois joue une première phrase, reprise ensuite par le violon.

Moins préoccupés par les notes, les musiciens s'écoutent enfin pour vrai. Quelque chose d'indicible s'installe. Le local austère aux murs gris reste le même, mais l'espace entre eux devient un fluide modulé par le son. Un fluide invisible, chaud, dense mais sans poids. Quand les deux instruments se croisent, Bach place souvent une dissonance, sensuelle comme un frôlement.

À la fin du mouvement, ils savent. Mais, trop timides, après quelques secondes de stupeur heureuse, ils toussotent et tournent la page vers le troisième mouvement. Geneviève écarquille les yeux en voyant les passages virtuoses réservés au violon. Antoine est solide dans sa partition plus simple. La violoniste s'emporte, se trompe, se rattrape, se décoiffe et termine en riant, les joues roses.

Ils commencent à se fréquenter.

Vierges tous les deux à dix-sept ans.

Se tiennent la main pour la première fois sous une neige légère de novembre.

Elle lui fait découvrir le théâtre: adjacente au Conservatoire, la petite salle du Grand Théâtre présente de tout, de Molière jusqu'aux contemporains.

Geneviève a repéré une porte qui permet de passer, tout près du local des appariteurs, du Conservatoire aux coulisses de la salle de théâtre. Porte destinée à faire traverser les instruments de musique pour les concerts d'élèves et qu'on oublie souvent de fermer à clé. Ils s'y glissent quand le public commence à entrer, se mêlent au flot, profitant de la distraction des ouvreuses occupées à distribuer les programmes. Repèrent les places qui semblent rester vides, attendant la dernière minute pour s'y asseoir. À l'entracte, ils arpentent le foyer de la salle, fébriles et heureux de leur infiltration autant que de la pièce.

Dans un minuscule corridor qui dessert quelques boîtes téléphoniques de plus en plus désertées, ils s'embrassent pour la première fois.

C'est bon, évident, facile; tellement plus que le violon ou le hautbois.

Ils se voient régulièrement, jusqu'au temps des fêtes, ajoutant quelques heures à leurs longues journées d'étudiants sans que leurs parents remarquent quoi que ce soit. Ils viennent tous les deux de familles où les amours de jeunesse sont surveillées de près. Préfèrent rester au Conservatoire, marcher sur les plaines d'Abraham, s'embrasser dans une ruelle, boire des cafés, trop de café, s'embrasser encore.

Le 23 décembre, après la dernière répétition d'orchestre, ils se quittent pour deux semaines. Épuisés par les examens, les concerts, les moments amoureux dérobés à l'horaire exigeant.

Déchirés de s'éloigner, mais décidés à garder le secret.

Quelques coups de fil en cachette : elle reste à Québec, lui est au chalet familial, dans Charlevoix. Au téléphone, Geneviève le trouve agité, un peu décousu. La voix, sans le contact des yeux et des mains, est insuffisante. L'amoureuse ne s'en fait pas : ils sont si bien ensemble, ils se retrouveront.

Au fil des vacances, elle rêve du moment où ils feront l'amour, bientôt.

Dès le retour, elle est intriguée. Antoine a une lueur nouvelle dans le regard. Quelque chose d'un peu brusque dans certains mouvements, aussi. Il parle sans arrêt, s'enflamme plus qu'avant. Lui raconte qu'il a fumé beaucoup de pot avec ses cousins pendant les vacances, en plein bois, loin des parents. Expérience forte, à en oublier dangereusement le froid. Il est rentré avec une engelure au visage, en parle en riant, un petit cercle de peau craquelée sur sa joue.

Geneviève lui demande, prudemment, s'il pense continuer de fumer souvent.

Non, pas du tout. Elle est soulagée.

Mais en quelques semaines, tout se déglingue.

Antoine dort de moins en moins, devenant de plus en plus exalté, certain que l'insomnie volontaire est le secret d'une vie formidablement productive. Il travaille son hautbois de manière obsessionnelle. Joue en boucle de minuscules motifs qu'il relie peu à peu entre eux, transformant une romance de Schumann en une trame interminable, à la Philip Glass. Parle de faire breveter sa méthode de travail saugrenue. S'acharne sur ses anches de hautbois, certain que la couleur du fil qu'il utilise, pour serrer le roseau sur le tube de métal, teinte la musique qu'il fait. Perd des heures en comparaisons dont il est le seul à capter les nuances.

Des bobines roulent partout, filant une toile d'araignée multicolore sur le plancher du studio.

Il lit frénétiquement, mais ce qu'il retient de ses lectures semble avoir traversé une déchiqueteuse.

Avec Geneviève, il est à la fois bouillonnant et ailleurs.

Elle ne sait pas à qui se confier, n'a jamais rencontré sa famille. A peur, se sent impuissante et s'éloigne sur la pointe des pieds.

Antoine s'en rend à peine compte.

Il quittera le Conservatoire fin février, pour un premier séjour en psychiatrie.

—

Antoine regarde sa minuscule table de cuisine encombrée.

Les restes du déjeuner, deux ou trois livres, un compte d'électricité, le hautbois dans son étui ouvert, le serpent de caoutchouc sur lequel il doit fixer un œillet plus résistant.

Il pourrait tout pousser à l'extrémité, en une pile précaire, comme il l'a souvent fait pour accueillir Sarah. Décide plutôt de ranger. Étend une serviette propre sur la table, y pose une assiette creuse dans laquelle il mettra de l'eau chaude.

Sarah part en tournée et lui a demandé de vernir ses ongles.

Antoine a toujours été bricoleur. Des modèles réduits d'avions en bois léger, il est passé au roseau des anches de hautbois, apprenant avec une rare facilité à tailler et gratter le roseau pour sculpter le son. Son professeur l'a vu s'approprier cet art avec une joie stupéfaite. Tant d'autres élèves y laissent leur vocation de hautboïste.

Ce naturel est resté ancré.

Après la dernière tempête – des mois de houle culminant à l'accident –, après l'hôpital, il a un matin décidé de reprendre l'instrument. Négligé pendant plusieurs années, carrément abandonné depuis six mois, le hautbois a repris vie, juste assez pour lui permettre de gagner quelques dollars dans le métro.

En moins d'une heure, Antoine a remis la main sur la boîte de carton contenant tout son matériel, démonté quelques vieilles anches pour réutiliser les petits tubes sur lesquels on attache deux minces lamelles de roseau. A retrouvé rapidement la finesse de l'angle du couteau.

Il ponce et taille les ongles avec la même assurance tranquille. Des modèles réduits de son enfance, il a gardé l'amour du petit coup de pinceau léger et parfait. Sarah n'a jamais trouvé ailleurs une manucure faite avec autant de précision que celle de son ami.

Même du plus profond de la dépression, Antoine a pu émerger de temps à autre pour soigner les ongles de la chanteuse, l'observant en pleine envolée.

Depuis ses débuts il y a près de quinze ans, cette amitié survit à tous les contrastes. Lui, d'abord secrètement amoureux d'elle, suivant autant que possible son sillage roux et fou dans les couloirs du Conservatoire. Elle, intriguée par le long jeune homme trop mince, à la chevelure lisse, d'un noir bleuté. Lui, lecteur et parleur, plus inscrit dans son cerveau bouillonnant que dans son corps. Elle, plus jeune de trois ans, fascinée par les mots mais déjà très attirée par les garçons de chair.

À vingt ans, au moment de leur rencontre, il reprenait les études après une éclipse de deux ans. Geneviève avait disparu. Un professeur qui les avait souvent vus ensemble s'était chargé d'éclairer Antoine : son amie violoniste étudiait maintenant la médecine.

Avec Sarah, il avait pu évoquer sa crise profonde, la fragilité restante.

De cette intelligence des émotions était née une amitié, vraie.

Aucune collision amoureuse, ni alors, ni depuis. Il avait préféré se taire, peu sûr de lui. Elle avait fait semblant de ne rien voir, tout en évitant soigneusement de le torturer.

Au Conservatoire, Sarah étudiait encore le piano mais voulait devenir chanteuse. Antoine l'encourageait : un solo de son amie, à la chorale, l'avait convaincu.

— Ta voix est rousse, elle est déjà cuite.

— Cramée ?

— Non ! Caramélisée.

Elle avait rigolé, mais l'image lui donnait de l'assurance.

Depuis, le parcours de Sarah a été implacable : Prix du Conservatoire avec grande distinction, quelques concours marginaux, puis un 2e prix au Concours international de Montréal. Tout tombe à sa place au bon moment. Elle vient de finir, au tournant de la trentaine, le cycle des concours. Des engagements ont suivi son stage de deux ans à l'Atelier lyrique de l'Opéra de Montréal.

Son amie si forte, sa vie à lui en zigzag.

La mise à l'épreuve ultime de leur lien remonte à deux ans. Alors qu'Antoine vivote dans une relation terne, Sarah tombe amoureuse d'un collègue hautboïste, formé en même temps qu'eux au Conservatoire.

Olivier. Un surdoué qui a appris le hautbois comme on apprend le vélo : un jour on pige, et c'est réglé.

Ce soir-là, luttant contre un creux de vague apparu malgré les médicaments, Antoine avait rassemblé toutes les particules de courage nécessaires pour assister à un concert important pour Sarah. Trois grands airs, avec un orchestre de chambre exceptionnel.

Il voit tout. La magnifique chanteuse rousse incarne l'amante délaissée et furieuse d'un opéra de Handel. Elle se sert de tout ce qu'elle connaît du désir et de la passion déçue pour animer son chant. Elle est branchée sur du vrai.

Alors, Antoine surprend le regard d'un hautboïste qu'il connait trop bien : attendant sa prochaine phrase, Olivier dévore la chanteuse des yeux, la console et la désire. Sa ligne de hautbois en sera déchirante, embrassant la voix de l'héroïne, l'épousant dans sa peine. La soprano, de toute évidence, reçoit cette réplique en plein cœur et laisse son visage tourné une demi-seconde de trop vers le musicien.

Il faut cela, ces courants charnels, pour faire de la grande musique.

Ils ne se déploient, la plupart du temps, que sur la scène.

En général, la chanteuse craint de s'enrhumer, ne sort pas de sa loge, et le hautboïste saisit son portable en coulisses. Mais ce soir-là, il y a débordement. La chanteuse, qui vient de rompre avec un ténor narcissique, se laisse gagner par la présence simple et naturelle du hautboïste. La bulle des illusions amoureuses se déplace hors de la scène. Antoine le sent bien, en félicitant les musiciens après le concert. Il a vu Sarah avec quelques amoureux ; cette fois, il devra accepter qu'un collègue connaisse ce à quoi lui a dû renoncer dès le départ.

L'histoire d'amour est sortie de la partition, a été consommée sans costume et sans musique. Le hautboïste et la chanteuse connaîtront plusieurs beaux mois. Mais cette liaison, facile, a peu à peu ennuyé la conquérante Sarah. L'amoureux a un penchant pour les jeux vidéo. Elle a l'impression que sa libido se canalise dans une direction qui lui échappe : une existence virtuelle de tueur esquivant tous les pièges. Olivier a trop peu de défis à relever en musique. Il préfère s'en créer en ligne, avec des inconnus excités par son habileté. Alors que l'autre hautboïste est éconduit, Antoine demeure l'ami fidèle.

Aujourd'hui, en enlevant le vernis défraîchi des ongles de son amie, Antoine la découvre plongée dans une histoire plus vénéneuse. Un chef d'orchestre flamboyant et marié. L'amorce récente de leur liaison : une première collaboration, solo de proportions modestes dans une œuvre symphonique. Sarah est arrivée bien préparée, en grande forme vocale, à la fois fébrile et sûre d'elle. Chaque brique posée, en début de carrière, doit être assez solide pour soutenir la suivante.

Ce matin, elle a besoin de tout raconter. La charge du regard du chef, dès la première rencontre, son humour à la fois intelligent et chargé de sous-entendus, apparaissant au fil du travail. Elle a de l'esprit, répond sans hésiter, sans lourdeur ni frivolité ; elle navigue avec grâce et le sait. En la dirigeant, il la dévore des yeux, la soutient. Elle se sent bien, chante bien.

Le premier contact physique, venu de lui, comme irrépressible.

Antoine se concentre sur les ongles de Sarah en l'écoutant, tenant bravement son rôle.

On est dans la loge du maestro, qui l'a convoquée avant une répétition. Plaquée contre un mur et embrassée. Surprise, elle s'est d'abord cabrée sous l'assaut. Tout va vite dans sa tête : attirée et bousculée, flattée par cette ardeur qu'elle suscite, très certainement choquée par la manière.

Sans s'abandonner, ni fondre, elle « accuse le coup ».

A-t-elle été agressée ? Elle est confuse à ce sujet. Antoine écoute, ponce les ongles nettoyés et demeure muet.

Sarah continue son récit, se revoit dans la loge.

Son instinct est en alerte. Quelque chose cloche. Mais sa *persona* lui murmure à l'oreille d'aller plus loin, d'être audacieuse. De saisir au col ce cheval fougueux qui déboule dans sa vie. L'embarquement est risqué, chaotique, car il fonce au galop, mais la poussée vers l'avant sera grisante. La part d'elle-même qui est en pleine construction est réellement envoûtée par ce qui s'offre.

Elle sait que le chef est marié. Elle n'a pas d'amoureux, se sent libre. Après la répétition générale, elle accepte de prendre un verre avec lui. Ils passent la nuit ensemble. Sarah donne tous les détails, enquêtant sur elle-même.

La suite du chef est magnifique, ils boivent du champagne. Elle jouit. Remarque que le maestro approuve avec un sourire satisfait, comme si elle venait de lui offrir une note aiguë au timbre magnifique. Ce sexe heureux la rassure : elle est dans une vraie histoire, pas dans un calcul opportuniste.

Le lendemain, il fait livrer des fleurs à sa chambre d'hôtel.

Antoine lève les yeux sur sa cuisine trop petite, son plancher de bois égratigné. Les mots de Sarah sont tout près de son oreille mais racontent une autre planète.

L'occasion se présente bientôt de la réengager : quelques semaines plus tard, dans une autre ville, sur un autre continent, une soliste plus célèbre se désiste. Le chef convainc rapidement l'administrateur en place de faire confiance à sa nouvelle flamme rousse. Elle est à nouveau parfaite, et la critique salue le cran de cette jeune artiste débarquée au pied levé.

Antoine sait : il veille sur le nom de son amie, cherchant toujours les échos de ses prestations, à Montréal ou ailleurs. S'est étonné et réjoui de ce concert imprévu, sans connaître l'intrigue derrière.

Ce soir-là, plus allumé que jamais, le chef se permet des gestes langoureux à la réception qui suit le concert. Discrètement, mais pas tant. Sans lui demander son avis, il l'attire avec une fermeté ardente vers la sortie des artistes, le taxi, puis sa nouvelle suite, tout aussi luxueuse que la précédente.

Des fleurs le lendemain.

Elle l'a revu récemment, une troisième fois, à Montréal. Elle a assisté à son concert, lui a apporté un petit présent : un miel rare dont ils avaient parlé par hasard. Élaboré sur le toit de son restaurant préféré, lieu inspirant pour les abeilles, selon le maestro. Il trouve l'attention charmante. Elle a prévu la suite. Dans son sac, le nécessaire pour repartir de l'hôtel vers sa journée de travail, le lendemain matin.

Est-elle amoureuse? La question d'Antoine lui semble peu pertinente; elle continue sa jeune carrière, son amant restera marié.

Les ongles sont magnifiques. Sarah a choisi une couleur en disant «chamois», à défaut d'être certaine de pouvoir parler de beige ou de gris. Effet nacré discret qui l'accompagnera avec classe sur scène, en avion ou dans quelque réception de bon goût. Passera aussi sans mal dans un bar bruyant où elle dansera peut-être après un concert, avec des collègues de son âge, échevelée et loin de son chef.

Elle remercie Antoine, lui fait une bise pressée. Puis s'arrête, juste avant de passer la porte. Bien en face de lui, elle étend les deux bras et pose des mains légères sur ses épaules. Le regarde, calmement.

— Tu es beau, mon ami. Comment va ta jambe?

— Pas mal. Un peu souffrante quand je reste debout trop longtemps. C'est normal, j'en ai encore pour quelques mois.

Elle sent qu'il va mieux.

Prendra plus de nouvelles de lui une autre fois, l'ami le sait.

—

Ses deux longues jambes sont encore intactes. Souvent agitées, même la nuit.

Il dort de moins en moins.

L'énergie déborde, impétueuse, exigeante.

Antoine a une connaissance intime et lointaine de cet état, mais refoule le souvenir, vieux d'une quinzaine d'années. Au fil des ans, il a connu de légères montées, tenues en bride par la médication. Cette fois, c'est le vrai retour.

Il a beaucoup à faire.

Levé très tôt, il a continué le Grand Ménage, au son d'une œuvre de Pierre Boulez, dont la musique ne tolère pas le superflu. *Le Marteau sans maître* pose des objets sonores ciselés et précis, soumis à une organisation stricte, typique des années cinquante. Objets vifs sans être stridents, qui augmentent d'un cran la vigilance d'Antoine. Éclosions de percussions alertes qui semblent partir en mission urgente, comme lui.

Chaque objet croisé dans son appartement est soumis à une seule question, tranchante : « Cette chose sera-t-elle utile à ma survie quand le monde basculera ? »

Si la réponse est non, l'objet doit disparaître, rapidement. Peut alors être remplacé par un objet potentiellement utile, susceptible d'être lui-même soumis à La Question.

Antoine n'a aucun intérêt pour l'ordre. Pour la survie, oui.

Le petit appartement déborde, sans encombrement. Il gère son intérieur avec la minutie et l'efficacité de celui d'une navette spatiale. Crochets partout sur les murs, pour garder les objets les plus hétéroclites bien en vue. Antoine est satisfait de circuler dans cet univers organisé, en écoutant Boulez soumettre le matériau musical à un ordre tout aussi abstrait et pur.

Sarah est passée la veille. Il a senti son regard admiratif et perplexe, a aimé son commentaire, «un musée en hommage à la basse technologie». Puis elle a tout gâché, s'inquiétant de sa grande fébrilité, lui demandant à nouveau s'il avait vu son psychiatre. Déception. Même elle refuse l'évidence collapsologique, l'imminence de l'effondrement.

Boulez, lui, avait compris. *L'Artisanat furieux, Bourreaux de solitude*: en choisissant les poèmes de René Char comme inspiration, il a lancé dans le futur des messages vers Antoine.

La guitare et l'alto partagent de courtes phrases, comme des fragments codés. Puis, une ponctuation de percussion ne laisse aucun doute: Antoine doit continuer son travail. Il a liquidé trois objets hier soir, a donc pu faire une nouvelle récolte. A parcouru les ruelles du Centre-Sud durant tout l'avant-midi, précédant la camionnette du ferrailleur et le camion à ordures.

Fin mars, les grands ménages commencent, avant les premiers déménagements du printemps.

Rentré vers midi avec un entonnoir de métal, une chaise en bois encore solide, un bidon à essence vide et une scie à gypse un peu rouillée, il a dû arbitrer : trois nouveaux objets, pas un de plus.

La chaise a certainement sa place, sera seulement la troisième de l'appartement et pourra un jour être brûlée, au besoin.

Il a pris le temps de bien la nettoyer et de resserrer quelques vis. La décapera peut-être, à l'air libre sur le balcon, quand il fera plus chaud.

Par principe, il garde tous les outils encore fonctionnels qu'il trouve. La scie pose tout de même un problème. Elle doit pouvoir travailler autre chose que le gypse pour prouver son utilité : tailler du gypse sera totalement inutile dans un monde de survie.

Antoine fait quelques tests. Les dents de la scie sont bien acérées : elle restera, pour l'instant.

L'entonnoir et le bidon sont donc rivaux, l'un d'eux doit quitter.

En métal robuste, l'entonnoir se distingue d'un cousin en plastique plus petit qu'Antoine possède.

Il a déjà plusieurs bidons pour accumuler de l'eau. Sans moteur à essence, le bidon rouge semble plutôt inutile. Mais il aime la forme de la chose, avec son grand bec, lui trouve une allure pratique et virile.

Vieille imagerie de cinéma, tranche-t-il soudain, au moment où la flûte alto amorce sa dernière envolée, ponctuée par un gong solennel.

Fini, *Le Marteau sans maître*. Le bidon sera remis à la rue.

Soucieux, Antoine note cependant qu'à défaut de moteur à essence, il devra accélérer son projet solaire. Le seul qui demande des achats de matériel, faits selon un budget strictement contrôlé.

Après avoir mangé une pomme, des pousses qu'il a fait germer sur son comptoir et un reste de pain, Antoine s'installe à l'ordinateur.

Plonge dans le dédale qui s'ouvre devant toute quête obsessionnelle.

Flot d'informations de plus en plus encombrantes, s'emboîtant les unes dans les autres.

Le survivalisme a des amis particuliers, libertariens et xénophobes le pratiquent comme sport de combat. Leurs thèses, distillées au travers des techniques de survie, agacent Antoine qui veut rester branché sur l'essentiel : le vrai complot est ailleurs.

Partout sur son chemin numérique et tout aussi agaçantes, des annonces de kits de survie calibrés selon le nombre de jours d'autonomie promise.

La véritable autonomie ne s'achète pas, elle se construit, se répète encore une fois Antoine. Il lève les yeux vers les livres de référence et les disques compacts, rangés bien serrés sur des tablettes en hauteur : achetés pour quelques sous ou trouvés sur le trottoir, ils redeviendront utiles dès qu'internet sera tombé. Ces objets non connectés n'ont rien de désuet, ils assureront la survie du savoir et de la musique.

Vers seize heures, il se lève subitement, prend sa veste et sort.

Marche longtemps vers l'ouest, scrutant l'ambiance du quartier.

Se retourne parfois brusquement, le cœur battant, certain d'être suivi. Efface sa mince silhouette en parallèle du trottoir, laissant passer le flot des piétons pendant quelques instants.

Quand le stress diminue, il repart.

Se rend compte qu'il approche du Vieux-Montréal et décide de faire un saut chez son père, sans s'annoncer ; a compris que cette technique empêche toute tentative d'intervention, mise en scène avec le concours de sa belle-mère.

Compose le code à l'entrée de l'immeuble.

Le père est seul. L'accueille à la porte, soulagé et accablé en le voyant.

Soulagé de voir le fils vivant, accablé de le découvrir toujours aussi agité et inaccessible.

— Leila a appelé, hier. Elle est inquiète : tu ne réponds plus à ses messages, depuis qu'on t'a ramené du chalet.

— Papa, c'est fini avec elle. J'ai déménagé. Pas de temps à perdre avec son inquiétude.

Antoine marmonne la suite : beaucoup de travail, des urgences… des choses importantes à préparer… j'ai des informations, ça approche… je vais tout faire pour vous aider…

Près de la porte, il semble soudain méfiant, hésite à entrer pour vrai.

Le père le retient de justesse :

— Bon, ça va, oublie Leila, viens t'asseoir.

Encore une fois, Antoine est étourdi par la beauté épurée et lumineuse du loft élégant, soulignée par un *Nocturne* de Chopin diffusé juste au bon volume.

Se dirige, presque aveuglé, vers le long divan écru.

Son père le guide imperceptiblement vers un fauteuil plus foncé.

Il me trouve sale, note Antoine.

Fugitive jubilation de ne rien manquer, sachant que le père le pense largué.

Il n'est pas sale, mais protégé par une armure de bonnes bactéries, résistance naturelle et gratuite à la chimie ambiante.

Lui a déjà expliqué tout cela, n'a pas envie de recommencer.

Sa barbe n'a jamais été fournie, s'allonge maigre et inégale, comme l'ensemble de sa personne.

L'hôte inspire et esquisse un geste pour évoquer l'état du fils, puis renonce.

C'est l'heure de l'apéro. Il montre plutôt son verre de bière, offrant au visiteur de l'accompagner.

Antoine ne boit plus.

Évoque fébrilement un complot de l'industrie de l'alcool, peut-être soutenu par une puissance étrangère. Attaque sournoise pour miner la conscience et la mobilisation populaires ; l'exposé confus confirme au père que son fils s'enfonce de plus en plus.

Il pose tout de même la question, calmement mais sans détour :

— Tu ne prends toujours pas tes médicaments ?

— Je fais ce qu'il faut.

L'automne avance sur Montréal.

Antoine a joué plus d'une heure, sentant une bordée froide rabattue vers lui par chaque mouvement de la porte, en haut de l'escalier. Il aurait aimé avoir l'énergie des bons jours, enchaîner des études rapides, en notes détachées, qui finissent par le réchauffer quand il se lance le défi de les jouer sans la moindre faute, comme à l'époque du Conservatoire.

Il a préféré refaire le coup du serpent : bien maîtrisé, ce numéro reste de loin le plus payant. Il en économise l'effet, évitant de se produire régulièrement au même endroit. Il choisit les stations selon l'accrochage possible de son léger dispositif.

Aujourd'hui, il a passé l'heure de pointe matinale au métro Berri, sortie Sainte-Catherine. Un plafond métallique suspendu, légèrement ajouré, lui permet d'utiliser de tout petits crochets en « s » pour faire passer son fil.

Il a maintenant une séquence musicale parfaitement ficelée pour charmer le serpent. Dans une trame improvisée, il glisse vers le solo de flûte qui ouvre le *Prélude à l'après-midi d'un faune* de Debussy, emprunte quelques lignes au premier tableau du *Sacre du printemps* pour terminer avec une des *Métamorphoses d'après Ovide* que Britten a eu la bonne idée d'écrire pour hautbois solo.

Selon la durée d'improvisation qui entoure le tout, le numéro dure plus ou moins cinq minutes.

Souvent des gens s'arrêtent, regardent, écoutent jusqu'à la fin et applaudissent.

Ce matin, il a vu passer Jérôme Agostini. Sa boutique n'est pas loin mais Antoine le croise rarement. C'est là qu'il achète le roseau et les tubes de métal qui servent de base aux anches. À la fin de ses études, Agostini lui avait remis une bourse, au terme d'un concours régional où Antoine s'était rendu jusqu'en finale, à sa grande surprise. Il a commencé à fréquenter le magasin dès son déménagement à Montréal.

Agostini vend aussi des instruments, neufs et usagés. Les musiciens professionnels préfèrent souvent les plus petits ateliers, mais il y a encore assez d'harmonies scolaires au pays pour maintenir un chiffre d'affaires respectable. Le vendeur, héritier de l'entreprise familiale, a été apprenti à Paris. Il ajuste et répare magnifiquement les instruments, connaît bien la musique. Beau garçon d'une quarantaine d'années, il soigne son personnage; mi-artisan, mi-homme d'affaires.

Antoine l'a vu descendre l'escalier du métro, avant que Jérôme ne l'aperçoive, et guette du coin de l'œil sa réaction. Agostini a un léger mouvement de surprise en le reconnaissant mais poursuit son chemin, le menton juste un peu plus haut.

Dans l'esprit amusé d'Antoine, une image d'un mot : snob.

Après avoir rangé le hautbois, empoché l'argent, roulé le serpent et son équipement minimaliste dans le panier, Antoine hésite. Repartir par la rue, ou suivre une odeur qui vient du métro.

Brioche bon marché, soufflée comme un oreiller.

Il y a six mois, ce genre d'attirance l'affolait, faisait monter une sueur, parfois même une nausée qui emportait la tentation. À l'époque il venait de passer, en quelques semaines, d'une alimentation chaotique à un contrôle terrifiant, dans une grande envolée maniaque.

La pizza noyée dans la bière avait été remplacée par une obsession pour les aliments non transformés, qu'Antoine avait combinée à un culte fiévreux pour les nombres. Les mathématiques devenaient un terrain de jeu extraordinaire pour son esprit en ébullition. Il avait d'abord repassé fébrilement deux cours de cégep, froissant brutalement les pages de ses cahiers, rescapés de justesse du Grand Ménage. Puis avait lu sur Bach et la symbolique numérique, terrain de recherches abyssales, heureux de trouver le travail d'un musicologue montréalais sur Bach et le nombre d'or. Contacté par Antoine, le chercheur avait d'abord été flatté qu'on s'intéresse à ces travaux vieux de vingt ans. Mais l'intensité décousue du jeune admirateur lui avait suggéré une distance prudente.

Antoine avait ensuite dérivé vers des articles scientifiques sur les nombres premiers. Dans ces papiers beaucoup trop complexes, à moitié lus, il avait trouvé des messages et des injonctions pour guider son alimentation.

Le feu allumé et grandissant de l'épisode maniaque aiguisait de nouvelles sensations, tout en enterrant celle de la faim; les nombres allaient se charger de le nourrir.

Aux nombres premiers, indivisibles autrement que par un et par eux-mêmes, il fallait associer des aliments indivisibles. Sur la table, Antoine pouvait aligner une poignée de noix, une carotte, une pomme et un verre de lait, puis en tirer une élucubration mathématique. Selon la complexité de la saveur ou la richesse de sa texture, l'aliment héritait d'un nombre premier plus ou moins élevé: trois pour la carotte, cinq pour la pomme, sept pour les noix et onze pour le lait. Antoine devait ensuite les manger dans cet ordre, certain qu'une digestion optimale allait en découler.

Sans effort, il avait mémorisé les nombres premiers jusqu'à 1000.

Son œil exercé tentait de découper au passage n'importe quelle série de chiffres, essayant d'y former une suite de nombres premiers. Numéro de téléphone sur une affiche publicitaire, numéro de série sur un objet, code sur un formulaire: si le découpage fonctionnait jusqu'au bout, il notait la séquence, convaincu de devoir l'appliquer à son alimentation.

En rentrant chez lui, le bout de papier à la main, il fouillait frénétiquement frigo et armoires, rassemblant des aliments disparates, mais «en résonance environnementale».

Antoine savait qu'il fallait éviter d'expliquer ce concept, ne voulant gaspiller aucune énergie à le défendre. Une vive altercation avec sa sœur avait fini de l'isoler. D'abord calmement, Ariane avait questionné son système alimentaire. Devant le flot verbal autoritaire et confus de son frère, les mots s'étaient durcis : « tu dérailles ». Explosion délirante : le monde entier déraillait, lui savait.

Tout ça semble loin et fou, mais quelques séquences numériques sont restées dans sa cuisine. Petits papiers froissés épinglés ensemble sur un tableau de liège, comme un appel à la prudence.

Contre le mur froid du métro, Antoine prend une grande inspiration, les yeux fermés, heureux que l'odeur qui l'attire ne déclenche aucune alarme dans son système nerveux. Seulement quelques mauvais souvenirs. Ce matin, il opte pour la brioche.

Une religieuse en costume, entrée par la rue, passe devant lui et le précède d'un pas serré. Elle est petite. Un « i » minuscule, sec, amidonné, noir et blanc.

La silhouette démodée amuse Antoine, qui marche lentement en l'observant.

Elle s'arrête soudain. Immobile, elle regarde une femme assise à terre dans le couloir du métro, gémissant d'une voix rouillée. Cheveux gris hirsutes, épaules obliques et dos voûté, vêtements disparus sous leur patine, se confondant presque avec le sol douteux où elle s'est échouée.

La petite religieuse, d'une propreté rectiligne qui semble téléportée dans cet environnement sale, penche à peine la tête pour que son regard atteigne celui de la femme affalée.

Elle l'écoute.

— Mon père, y m'faisait des affaires… J'ai pus rien… chus à boutte.

Antoine s'est arrêté en retrait et tend l'oreille, se demandant ce qui émergera de cette rencontre ; il voit souvent cette femme, n'a jamais réussi à lui parler.

Elle s'appelle Francine, il a entendu les bénévoles du Café Compassion échanger à son sujet. « Pas facile, Francine. » C'est ce qu'ils disent, quand une intervention dégénère.

La religieuse murmure quelques mots, les plaintes de Francine continuent.

Un homme apparaît alors dans le détour du couloir, transportant le halo froid de l'extérieur. C'est dans ce tournant à quatre-vingt-dix degrés que la chaleur du métro commence à vaincre le froid. C'est là, souvent, qu'une personne itinérante s'effondre, à bout de forces, étourdie par le changement de température. C'est là, sur l'autre mur du couloir, que commencent les longues vitrines d'une belle librairie au bord de la faillite, égarée en ce lieu improbable. Le ventre de Montréal a de ces contrastes, se dit Antoine, conscient d'être en équilibre entre deux mondes.

L'homme qui vient de surgir est intrigué par les deux femmes qui se font face. Il ralentit le pas pour capter la conversation. Tourne un peu sur place. Jovial, souriant, heureux de ce qui survient, plus intéressé par la religieuse que par le drame humain.

La religieuse, d'abord agacée par l'intrus, tourne légèrement l'oreille quand celui-ci lance :

— C'est quoi, votre costume ? Ça me dit quelque chose ! Quelle communauté ?

La voix étonnamment grave et rauque de la petite personne chuchote :

— Providence.

— Me semblait ! Ma tante était là-dedans ! Ben fines, les bonnes sœurs, le meilleur sucre à la crème en ville.

La religieuse ne choisit pas. Sans qu'elle s'en rende compte, son attention a quitté Francine. Ses petites bottines bien cirées ont emboîté le pas au bavard. Au tourniquet du métro, ils se séparent. En attendant sa brioche, juste à côté, Antoine se demande si la petite sœur de la Providence repensera à la femme miséreuse en descendant vers la ligne orange. Peut-être que plus tard, ce soir, elle demandera pardon à son Seigneur pour ce léger manque de discernement.

Antoine sourit.

Sarah rentre de tournée, lui a écrit dès son retour : ils vont se voir cet après-midi.

Antoine fait une sieste en rentrant du métro. Sarah enseigne le matin, dans un collège privé huppé. Là-bas, on est fiers d'évoquer sa carrière auprès des parents, tout en fronçant les sourcils dès qu'elle doit s'absenter.

« Utilisée comme objet promotionnel, traitée comme une fourniture de bureau », lui dit Antoine. Elle lève les yeux au ciel, exaspérée. Elle compte les cachets à venir, imaginant avec plaisir la tête de la directrice gentille et coincée, quand elle lui annoncera son départ.

Ils aiment passer ensemble le mou de l'après-midi dans un minuscule café perdu hors circuit, à l'angle de deux rues résidentielles du Plateau. Une ravissante Tunisienne fabrique des confitures sur place. Ses grands chaudrons, qu'elle surveille derrière le comptoir en servant les clients, annoncent ses nouvelles créations en parfumant l'air. Agrumes, fraise, vanille, anis : Sarah devine presque toujours la recette du jour, faisant sourire la patronne. En fin d'après-midi, Antoine se rendra à l'école secondaire où il assure quelques heures de garde.

Son amie est intriguée, se demande ce qu'il y fait, sinon des rondes avec une lampe de poche.

Une présence, tout simplement. Un ou deux groupes en parascolaire s'affairent, le gymnase est occupé par du basket ou du volleyball, et lui, la plupart du temps, se contente de lire derrière une petite table près de l'entrée, répondant à de ponctuelles demandes.

Sarah lui demande ce qui l'occupe, à part ce défi professionnel transcendant. Antoine passe l'ironie, lui raconte le métro, le numéro du serpent. Son amie s'enthousiasme, se renseigne sur la prochaine représentation. Impossible à dire, il décide selon l'inspiration du moment, mais promet un courriel de dernière minute, avec l'heure et le nom de la station.

Devant son thé qui refroidit, il parle du quartier, comme s'il suivait soudain son propre trajet au sortir du métro. Il ne regarde plus Sarah : ses yeux semblent frôler la tempe de la jeune femme et plonger, plus loin, dans un point flou qui le ramène à lui-même.

Antoine connaît de mieux en mieux les habitués de la rue, les vrais occupants du territoire, ceux qui déambulent avec leurs drames et leurs échecs inscrits dans le corps, mais libérés de bien des conventions.

Ce gars parlant tout seul, qu'il a croisé encore ce matin. Si grand, des longs dreads coulant de son capuchon gris, le regard illuminé. Il s'attendait à entendre des élucubrations mystiques, comme d'habitude. La phrase a désarçonné Antoine : « Y'a tiré sur l'oiseau, y restait rien que deux pattes sur l'arbre. »

Une blague de dessin animé dans un visage christique.

L'hiver commence, ils ont à nouveau la température comme premier ennemi. Certains semblent l'ignorer et grelottent dans leur blouson de jeans ou de faux cuir rendu rigide par le froid. D'autres ont la chance d'avoir déniché, à l'Armée du Salut, un Kanuk : couleur démodée, coupe incertaine d'il y a vingt ans, chaud et indestructible. Antoine en porte un tout aussi vieux, hérité de son père.

Sarah le connaît : bourgogne foncé, col noir.

La veille, un nouveau venu. Un gars solide, assis à terre contre la porte d'une maison, sur le seul morceau de trottoir déneigé. Sans manteau et nu-pieds.

– *I don't speak French.*

– *Do you have a place to go?*

Le signe de tête muet vient avant un « *no* » sans énergie. Rien de plus.

– *I will try to find some help.*

Le gars hoche la tête, trop assommé pour y croire.

Sarah fronce les sourcils, lui demande ce qu'il a fait.

Antoine, d'un restaurant, appelle la police. Puis, passant devant le magasin de chaussures bon marché où il a travaillé quelques mois avant son accident, il entre. Aperçoit un ancien collègue, gérant adjoint. Lui explique la situation et demande de voir la réserve des items dépareillés. Chaussures, bottes et bottines à un seul pied, livrés ainsi ou égarés par des commis distraits ; Antoine avait convaincu le gérant de les accumuler, au lieu de les jeter. Parfois, une paire se reconstituait. Il s'occupait, de temps en temps, d'apporter le reste à un trio d'éclopés en quadriporteurs électriques, souvent réunis sur Sainte-Catherine, échangeant cigarettes et potins à un coin de rue du métro Berri. Des types colorés, gras-souillets et pleins de panache, à qui le diabète a piqué un pied ou une jambe. Les engins électriques rutilants, prêtés par le gouvernement, font la fierté de leur drôle de club. Ils avaient accepté le sac plein de chaussures dépareillées avec bonne humeur, promettant de faire circuler. Antoine avait retrouvé une partie du stock éparpillé au coin d'une rue, mais peu importe.

Le gérant adjoint emmène l'ex-employé à la réserve. Les « solos » ont été accumulés depuis son départ du magasin : Antoine trouve deux bottes ayant un vague air de famille. Un pied droit, un pied gauche, il mise sur un 10 et un 11. Vaut mieux viser un peu grand.

Prend une paire de chaussettes bon marché près de la caisse : on lui fait signe de partir sans payer.

Il retrouve son anglo figé par le froid, les pieds bleuis. Il réagit à peine en voyant l'équipement, mais se chausse lentement et accepte le café chaud qu'Antoine a attrapé en route. Impossible de faire la conversation. L'homme survit, sans haine et sans émotion.

Sarah est choquée. Demande si la police est venue.

Oui. Ils l'ont emmené. L'ont sans doute casé pour la nuit. À recommencer demain.

Son ami ne lui dit pas qu'il a observé la scène du coin de la rue. Dès qu'il a vu la voiture de police émerger, il s'est éloigné en douceur. Une sensation inconfortable se pointait, souvenir confus et terrifiant : déjà, par le passé, c'est lui que la police a cueilli ainsi, alertée par un passant effrayé devant son état.

Antoine a soudain besoin de parler de musique. Il raconte à son amie avoir retrouvé le disque des sonates de Brahms qu'il croyait lui avoir prêté.

— Je savais qu'il n'était pas chez moi! se défend la belle rousse, qui en a pourtant égaré plus d'un. Tu l'as écouté? C'est aussi beau que quand on avait vingt ans?

Antoine fait signe que oui, respectueusement.

Anne-Sophie Mutter avait dix-neuf ans quand elle a enregistré les trois sonates pour violon et piano une première fois. Antoine en a maintenant trente-cinq; la somme de perfection et de maturité de cet enregistrement le dépasse encore au moins d'un demi-siècle.

— C'est toujours la première, ta préférée?

Regen Sonata, Sonate de la pluie.

Il a écouté le premier mouvement deux fois de suite, comme à l'époque.

Une nostalgie sans affectation; un son centré, vivant, chaleureux sans coquetterie. Le piano d'Alexis Weissenberg, précis, posant les accords tout simples du début comme si rien d'autre n'allait suivre, puis s'animant pour suivre le violon, s'enflant pour le soutenir quand il se passionne. Le pianiste bulgare a la cinquantaine bien entamée au moment de l'enregistrement, mais la jeune Mutter de 1982 lui ouvre le chemin avec une candide autorité.

Antoine a jadis découvert ce disque par Geneviève. Ensemble, assis à la bibliothèque du Conservatoire avec deux paires d'écouteurs, ils avaient testé tant d'autres versions pour toujours revenir à celle-là. Geneviève travaillait la sonate sous influence, fascinée par la perfection du moment capté à l'enregistrement, cherchant à comprendre comment il fallait se sentir pour jouer ainsi.

Puis, Antoine a dérapé.

Loin de Geneviève, émergeant assommé d'un séjour brutal en psychiatrie, encore gelé par ses médicaments en cours d'ajustement, il avait enfin ressenti une lueur d'émotion en écoutant ce disque.

Sarah a toujours connu le lien grave entre Antoine, l'œuvre et l'interprète. Le jeune musicien, peu de temps après leur rencontre, avait proposé une écoute, comme un test. Les larmes silencieuses de Sarah, à la fin du premier mouvement, disaient tout : sa nouvelle amie comprenait.

Aujourd'hui, Sarah pense à la violoniste allemande autrement : combien de temps Mutter a-t-elle été mariée à André Prévin ? Curieux, ils vérifient. L'écran du téléphone de Sarah glisse la réponse en quelques millisecondes : moins de cinq ans. Divorcée dès 2006, elle aura été la cinquième et dernière épouse du vieux chef d'orchestre mort récemment.

De toute évidence, Sarah pense à son amant, cherche à comprendre.

Qu'est-ce qui attire donc certaines jeunes musiciennes, brillantes et autonomes, vers ces maestros tellement plus vieux ?

Elle regarde la photo d'Anne-Sophie Mutter, alors fin trentaine, auprès de son époux de plus de soixante-dix ans. Elle s'imagine photographiée ainsi, au bras de son chef. Préfère de loin, pour l'instant, que leur liaison demeure plutôt discrète.

Antoine prend des nouvelles de l'affaire.

L'ardeur est toujours là, après chaque concert, mais ils ne sont pas amoureux, elle le sait bien, maintenant. Elle décode tout plus finement. Sa satisfaction de chef quand ils font l'amour est suivie, de plus en plus vite, par une fine ligne soucieuse sur son front. Pas de place pour l'intimité, la vraie.

Dans son cerveau à lui, une nouvelle stimulation doit surgir dès que le sexe est consommé. Il est curieux, érudit. Sarah lit beaucoup, ils ne s'ennuient jamais pendant les quelques heures qu'ils passent ensemble, mais elle sent de plus en plus le cadre qui régit leur histoire.

Cet homme a appris à faire de ce genre de relation une gestion efficace, impeccable, invisible là où il le faut. Il connaît les codes qui lui donnent l'air d'être attentionné. Petits gestes, sourires, cadeaux un peu prévisibles. Mais tout ça rend un son de plus en plus mécanique.

En écoutant, Antoine pense à son père, longtemps collectionneur de maîtresses lui aussi. Apparemment calmé depuis quelques années. Il se tait pour ne pas accabler son amie, mais pense à l'envers du décor : les déceptions, semées partout sur le chemin de ces hommes.

La première déçue, sa mère. Femme aux humeurs complexes, assourdies par l'alcool, l'Ativan et le déni, jusqu'à sa mort prématurée. Une force de la nature, fauchée sans avertissement par un infarctus.

Historienne de l'art reconnue, elle avait suivi son mari économiste en France, au début de leur union. En était revenue déjà trompée, déjà mère, déjà amère.

Assez jeune, Antoine a su : une cousine bavarde, informée par sa tante.

Lui-même, deux fois, a croisé son père accompagné d'une autre femme. Dans un restaurant où il entrait avec des amis, après un concert. Son père lui avait nerveusement présenté la grande brune, « une collègue, chargée de cours ».

La deuxième fois, dans un centre commercial. L'homme tenait les paquets d'une femme blonde et sans âge. Son regard avait croisé brièvement celui d'Antoine, mais il avait préféré faire semblant de ne pas l'avoir vu, trop las pour inventer une histoire mal cousue. Pathétique.

Le père a enseigné, a fait de la politique, a fait grand bruit, est redevenu professeur, puis s'est retiré. Il écoute du Schubert, lit *Le Courrier international*, le *New York Times*, relit Chateaubriand ou Camus, boit du vin et fume des Gitanes. Il est plutôt gentil avec sa nouvelle compagne, Suzanne, une travailleuse sociale bien ancrée dans la vie. Voyage régulièrement avec elle, sans compter. S'est installé à Montréal pour elle, se rapprochant du même coup de ses enfants.

— Tu penses à quoi ? demande Sarah, qui a perçu son absence.

— À mon père.

— Comment il va ?

Pas très bien, en fait. Peu d'énergie, ne veut plus beaucoup sortir. Dort mal, tousse, ne veut pas consulter. Sarah propose gentiment d'aller le voir avec lui. Le père a toujours aimé la belle amie de son fils, ayant le jugement nécessaire pour rester du bon côté de la ligne. S'est intéressé à ses débuts de chanteuse, l'aidant à trouver un commanditaire pour ses concours.

Ils décident d'organiser quelque chose avant les fêtes.

Entre-temps, elle repartira bientôt pour les États-Unis, chanter Fiordiligi dans une nouvelle production du *Cosi fan tutte* de Mozart. Maison d'opéra de taille moyenne, mise en scène prometteuse. Coïncidence, son maestro passera quelques jours dans la même ville, dirigera l'orchestre local dans un programme romantique.

Elle semble plutôt heureuse à l'idée de le revoir ; Antoine se demande un peu pourquoi.

—

Lundi matin de février, dix heures, soleil froid et sans histoire.

Antoine s'engage vers le Nord, sur l'autoroute 15 bien dégagée.

Il sourit en pensant que pour ceux qui roulent vers leur salaire, cette route est un enfer, toujours bouchonnée à l'heure des honnêtes travailleurs. L'argent est un aimant qui pompe le métal des voitures vers le centre-ville le matin, puis les repousse en fin de journée.

Électron libre, vivant de peu, Antoine se sent grand et riche.

Mais la voiture appartient à sa sœur, tout comme le chalet où il s'en va passer trois jours.

Libre et parasite, se dit-il.

L'autodérision le sauve de bien des tristesses.

Rendu en une heure, il monte le chauffage dans la petite maison et ressort. S'étire au soleil, puis s'empare de la pelle pour s'attaquer au sentier par lequel il a traîné ses bagages dans la neige, du stationnement jusqu'à la porte.

Le silence est saisissant.

Force l'arrêt et dilate le temps.

Si près de Montréal, ce silence est un prodige.

Même le chalet familial, perché en hauteur dans Charlevoix, devant le fleuve et l'Isle-aux-Coudres, n'est pas béni d'un tel silence. Là-bas, le paysage grandiose et ouvert laisse monter tous les sons : le traversier qui accoste, la transmission d'une voiture fatiguée peinant dans la grande côte, ou simplement la porte d'une maison qui claque.

Les abords du petit lac des Laurentides offrent à sa sœur le contrepoids idéal à une vie de jeune administratrice ambitieuse.

On y évite le questionnement incessant d'un espace trop vaste.

En lui tendant la clé ce matin, Ariane a glissé : « Sois prudent. » Mots qu'on prononce parfois presque machinalement, mais Antoine sait qu'il n'en est rien. Un an auparavant, les mêmes clés prêtées l'avaient conduit à un isolement lourd de conséquences. Parti sans ses médicaments, qu'il négligeait de plus en plus, il s'était senti plein d'énergie.

Il avait rompu, quelques semaines auparavant, avec la seule femme qui ait partagé sa vie. Leila, brillante étudiante en musicologie, avait été parfaite avec lui pendant quatre ans, et c'est ce qu'il avait fini par lui reprocher. Elle l'entourait, comme un champ de mines qu'on ne peut déterrer, mais qu'on empêche de faire des dégâts.

Il avait fini par espérer l'explosion.

L'an dernier, c'est la fin de cette vie de couple qu'Antoine voulait saluer dans la solitude. Après avoir pataugé quelques mois dans la tristesse, il couvait alors, sans le savoir, un grand feu d'artifice.

Il s'était mis à déneiger le toit du chalet, pelleter les galeries jusqu'à en racler la surface à la perfection, fendre du bois.

Fendre du bois, Fendre du Bois, FENDRE DU BOIS… Piles vertigineuses, aussi hautes que la porte d'entrée, dressées comme des gibets insolites partout sur la grande galerie.

Il avait senti la spirale, l'appel ascendant; il savait qu'il risquait aussi de chuter, mais ne voulait pas faire taire l'exultation, convaincu que sa survie en dépendait.

Avait compris que la Grande Coupure approchait : la fin de l'électricité.

Aux réserves de bois s'ajoutaient les réserves d'eau, dans tous les contenants disponibles, chaudrons et poubelles de plastique inclus. Une seule casserole restait libre, pour faire chauffer la soupe. Une structure de cintres tordus attendait déjà près du foyer, prête à porter la casserole au-dessus du feu, le moment venu.

Cinq jours plus tard, alertés par sa sœur, qui attendait sa voiture et s'inquiétait, son père et sa belle-mère débarquaient au chalet et le ramenaient en ville, conduisant chacun une auto, sans pouvoir le convaincre d'aller consulter.

Il avait promis de reprendre ses médicaments, plaidant l'oubli.

N'en avait rien fait.

Cette année, Antoine a ses médicaments.

La cicatrice, comme une voie ferrée longeant sa jambe gauche, celle qu'on a dû empaler de six traverses métalliques, est un aide-mémoire. Si ce vestige de l'accident ne se fait pas sentir de la journée, ce qui est rare, il le voit en se déshabillant et avale docilement les trois comprimés.

Le pelletage est fini pour aujourd'hui. Sans excès.

Le chalet s'est réchauffé, malgré son isolation approximative. Ariane a eu la chance d'acheter à prix abordable, embrassant le côté à la fois bancal et sympathique de l'endroit.

Soupe, sieste, promenade, lecture: la journée passe, et le soleil disparaît au bout du lac gelé. La noirceur bien installée, un bruit sec et obstiné vient de la galerie. S'approchant de la porte vitrée, Antoine repère vite la bête: un gros raton laveur installé sur la poubelle, juste à gauche de l'entrée. Il sait que l'animal risque d'arriver à ses fins. Pour l'éloigner, il décide d'allumer la lumière extérieure, pensant le voir détaler aussi vite.

Mais le raton laveur relève la tête avec assurance et le fixe de son regard noir et brillant à travers la fenêtre de la porte. Antoine soutient le regard, intrigué et amusé par tant d'autorité. Bien noirs, le masque autour des yeux et le nez luisant se détachent sur la fourrure blanche. Les rayures de la queue sont parfaites et propres.

Antoine ouvre la porte, comme pour adresser la parole au visiteur curieux. La nature sauvage l'emporte, et le raton laveur décolle enfin, à toute vitesse.

Le lendemain matin, Antoine mesure sa naïveté : l'animal est revenu, a renversé la poubelle de métal dont le couvercle, pourtant solide, a sauté. Éparpillés sur la galerie, papiers-mouchoirs, barquettes de styromousse, sac de café vide, et aussi un emballage de viande, bien mordillé : sans doute la source de l'odeur qui a déclenché la frénésie du raton. Au milieu de l'ensemble, une lueur métallique. Antoine aperçoit un disque compact sans boîtier. Il saisit l'objet entre le pouce et le majeur bien écartés, lisant en même temps l'inscription au crayon marqueur : « G.Kl. Fl. »

Quelques lettres qui capturent quelques années de sa vie.

Sa sœur a dû trouver, par hasard, le disque perdu sous un lit, ou derrière un meuble. Il l'avait probablement apporté au chalet quand il y faisait de longs séjours, pensant creuser le début d'une thèse.

G.Kl. Fl. : *Geissenklösterle Flöte*, une flûte paléolithique.

Le clou des études en ethnomusicologie qui ont occupé la fin de sa vingtaine.

Le chemin qui a vu ce disque passer d'objet central à objet perdu est navrant mais ne l'attriste plus. Antoine est étonné de la précision des souvenirs qui remontent.

Il repense à son ami imaginaire *Homo sapiens*, vivant sur un territoire qui fait aujourd'hui partie de l'Allemagne. Repasse le film imaginaire de sa thèse imaginaire.

Dans la scène d'ouverture, il voit les premiers sapiens découvrir, après avoir mangé un gros oiseau bien rôti, que le léger os creux de son aile produit un joli son, quand on souffle de biais à l'une de ses extrémités.

Une petite brisure dans la paroi ayant laissé un trou sur le cylindre osseux, l'un d'eux découvre un jour qu'en bouchant le trou avec son doigt pendant qu'il souffle, une deuxième note se fait entendre.

Antoine repense ensuite aux cousins qui, ailleurs, font les mêmes expériences, avec des morceaux de roseau creux, des branches évidées par les termites. Le sapiens a un appétit de découverte qui passe entre autres par le son.

Chaque fois qu'il gratte le roseau de ses anches de hautbois, Antoine sait qu'il est de la famille.

L'ami imaginaire qu'il a adopté pendant ses études vit dans une caverne, en Allemagne. Le lieu s'appelle aujourd'hui Geissenklösterle, mais on ne saura jamais quel nom il a porté avant. *Homo sapiens* maîtrise maintenant une technique enseignée et perfectionnée : dans l'os creux d'un cygne chanteur ou d'un vautour, on perce des trous à distance précise l'un de l'autre.

La plus vieille flûte du monde, celle qui fascine Antoine, on dit que c'est elle ; retrouvée dans cette caverne du sud de l'Allemagne où elle gisait depuis près de quarante mille ans. Une vingtaine de fragments d'os ont livré, une fois recollés, cet instrument rudimentaire à trois trous. On l'a copié pour se permettre d'en jouer, le taillant dans l'os d'un cygne d'aujourd'hui.

Antoine se rappelle le son, mince, assez aigu, sept notes différentes au total, en mode pentatonique. Leur gamme à eux, apparue dans la nuit des temps, toujours vivante.

Les mélodies qu'on tire de cette flûte pourraient devenir monotones, mais un archéologue futé a eu l'idée d'enregistrer l'instrument dans une caverne, à quelques kilomètres à peine de son lieu d'origine. C'est ce disque, prêté par un de ses professeurs, qu'Antoine a copié il y a plusieurs années. Il rentre dans le chalet avec l'objet retrouvé, après avoir remis dans la poubelle le reste des déchets et posé une lourde pierre sur le couvercle. Il allume un feu pour briser l'humidité du matin et se dirige ensuite vers le lecteur de CD, ancien modèle indestructible ayant appartenu à leur père.

L'espace de la caverne donne une profondeur au son.

Comme à l'époque, Antoine écoute et questionne. Quel sens a cette musique pour *Homo sapiens*? Quel rôle joue-t-elle?

Elle est peut-être une transposition du pouvoir que le son a sur lui. De tout temps, l'humain a entendu le cri des oiseaux dans la nuit, comme Antoine entend parfois le huard sur le lac. L'ami sapiens a trouvé cela troublant, mystérieux. Sans parler de toutes ces bêtes dont on ne connaît plus le nom, qu'il a côtoyées, chassées et certainement entendues bruire.

Les cycles d'un vent doux qui vient par vagues en agitant les feuilles, celui de l'eau sans cesse rabattue sur une plage, la plainte d'une femme qui accouche. La forme sonore de ce qu'il entend est une matière à imiter, à transformer.

Le son est partout, et le fond sonore est en haute fidélité: pas de pollution industrielle dans l'espace sonore paléolithique. Le plus infime bruissement se détache sur une page vierge, comme ici, dans les Laurentides désertées du mardi matin.

Les professeurs d'Antoine, peu sensibles à ces reconstitutions imagées, semblaient d'accord pour penser que la musique paléolithique jouait surtout un rôle spirituel. Puisque *Homo sapiens* dessine des créatures fantastiques jouant des instruments de musique, il leur apparaissait logique d'associer musique et rites.

Leila, qui avançait studieusement dans sa propre thèse, tentait de maintenir Antoine dans les balises convenues. Mais il s'objectait, imaginait, proposait une analogie. Les fresques des anciennes églises chrétiennes montrent des musiciens investis d'un rapport privilégié avec Dieu : la lyre, les flûtes ou le petit orgue jouent à sa gloire. Mais elles ne disent pas tout sur la musique et sa place dans nos vies.

Une fois sa flûte inventée, les premières cordes tendues sur un arc devenu musical, *Homo sapiens* a dû faire comme nous : utiliser la musique pour raconter des histoires, rappeler des émotions, faire jouer les enfants, accompagner certains travaux. Pourquoi se serait-il privé du bien-être qui émane de la musique ? La lumière du jour disparue, les heures sont longues, à l'Âge de pierre.

Antoine avait déjà vécu un moment de joie pure, qu'il évoquait pour défendre sa vision. Une panne d'électricité avait tout interrompu en début de soirée. Il était seul à la maison, et la qualité du silence avait soudain bondi, comme si, au-delà du ronron du frigo, une énorme rumeur faite de tension électrique venait d'être tarie à la source. Ne pouvant continuer son travail à l'ordinateur, hésitant à lire dans la pénombre qui s'installait, il s'était retrouvé au piano, jouant pour le simple plaisir. Sans lumière, il avait eu la sensation très nette d'habiter à la fois le temps et l'espace avec la musique.

Son ancêtre sapiens avait du temps par dizaines de milliers d'années et de l'espace à dépasser l'imagination ; comment croire qu'il ne sortait sa flûte que le dimanche, pour communier avec les esprits ?

Ceux qui écoutaient sa musique devaient sentir leur corps éveillé. Comme le nôtre, quarante mille ans plus tard, s'éveille à la musique qu'on aime. Comme nous, ils fredonnaient et bougeaient.

À l'université, Antoine avait beaucoup d'intuition, mais lui manquait la patience de la science. Leila, au contraire, était rassurée par la méthodologie bien exercée et se contentait d'un sujet moins ambitieux ; elle voulait avant tout s'installer durablement dans la faculté. Entre eux, des discussions interminables, souvent captivantes et parfois houleuses.

Il sait maintenant que ses idées, dérangeantes à l'époque, ont surgi ailleurs, étayées et nuancées soigneusement par d'autres. Il a continué à suivre de loin ce qui se publie. Suivre de loin la carrière de Leila : après avoir signé une maîtrise impeccable, elle file vers le doctorat, tout en multipliant les charges de cours.

Il ne sait plus s'il a aimé cette femme.

Question dérangeante.

Il l'a trouvée belle. A aimé être stable avec elle, avoir une vie sexuelle agréablement routinière. Il a aimé croire être normal. Rester en contrôle de ses finances, acheter des vêtements neufs, arriver à l'heure aux joyeuses rencontres de la famille libanaise et jouer avec les neveux de Leila.

Quand elle s'est mise à évoquer l'idée d'avoir des enfants, ou même simplement d'acheter un appartement, il a eu peur.

Il croyait avoir peur de l'engagement, il pense maintenant avoir eu peur de ne pas l'aimer.

Le sabotage a été simple : s'éloigner du monde universitaire, quitter son emploi à la bibliothèque de la Faculté de musique, pour aller vendre des chaussures bon marché. Se laisser glisser vers la dépression.

Antoine a rangé le disque paléolithique dans une enveloppe de papier. Il le rapportera chez lui, sans penser pour autant relancer ses recherches.

Une soupe, du pain, du fromage. Deux fruits. Toujours à la limite de la frugalité, sans en faire un acte mathématique et militant. Parfois, il mange un repas qui sort de l'ordinaire, une expérience esthétique. Avec son père qui l'invite, ou avec Sarah. Deux fois par année, à leurs anniversaires, ils choisissent bien et prennent leur temps. Pour le reste, la nourriture doit le garder en vie et en santé.

Sur son vieil iPod, Antoine choisit une liste « Bach » et sort marcher. Il opte pour le tour du lac, sept kilomètres qui ne demandent aucune précaution : les pieds sont à l'aise et font leur travail mécaniquement.

L'air est bon, il aura le soleil droit sur lui pendant la première moitié du chemin. Beaucoup de place pour penser. Les concertos brandebourgeois lui donnent tous les allegros nécessaires. Un son charnu, des éclats généreux, du souffle et, surtout, une pulsation.

Du *beat* : Antoine a écouté assez de musique rock, et, plus récemment, de rap, pour comprendre la valeur organique et organisatrice de ce mot.

Il sourit en pensant de nouveau à son ami paléolithique.

Homo sapiens, qui marche si longtemps pour cueillir ou pour chasser, est déjà un *beatmaker*. Antoine, très tôt, a tourné autour de cette hypothèse : le sens du rythme, maintenant programmé dans notre cerveau, s'est peut-être développé comme un avantage évolutif. Les premiers qui l'ont utilisé pour marcher avec persévérance ou travailler la pierre en cadence ont acquis un pouvoir et une assurance qui les a favorisés.

En avançant vigoureusement sur le chemin, Antoine sent clignoter en lui ces gènes anciens de chasseur-cueilleur.

Pendant quelques mètres, l'ombre des planches d'une clôture et les rais de lumière qui les séparent se calent parfaitement sur le rythme. Antoine avance, satisfait.

Mais ses pensées repartent vers la grotte d'*Homo sapiens*. Il la déploie dans sa tête, ornée de colonnes naturelles : les stalactites qui descendent du plafond et les stalagmites qui montent du sol. Ces statues, nées du calcaire déposé par l'égouttement de l'eau, sont parfois creuses. Si on a la curiosité de les frapper avec un bâton, on découvre que quelques-unes d'entre elles produisent un son remarquable. Antoine admire l'archéologue qui a observé les sillons laissés par les coups réguliers frappés sur certaines stalagmites.

Le rythme, inscrit dans la pierre.

La grotte est une caisse de résonance.

Celui qui l'habite connaît la vitesse parfaite pour chacune de ces cloches de pierre, la vitesse qui épouse le déploiement du son. Plus celui-ci est large, plus le rythme sera lent; plus le son est sec et mat, plus il peut rebondir vite. Antoine est par ailleurs convaincu que l'homme ancien savait tendre une peau sur un cadre de bois pour la sécher et faire d'elle un objet sonore. Mais s'il a ainsi fabriqué des tambours, les peaux et le bois sont tombés en poussière depuis longtemps. Aucun n'a survécu aux côtés de la petite flûte d'*Homo sapiens*. Seules les colonnes de pierres sont restées.

L'Âge de pierre a pris le nom des messagers minéraux qui nous sont parvenus.

Antoine s'arrête au bord du chemin, le regard tourné du côté de la forêt qui s'avance vers lui, dans cette journée sans vent. Le blanc se découpe sur fond de ciel bleu foncé. L'hiver a déjà beaucoup donné: la neige s'accroche partout, en des structures aussi tranquilles que précaires.

Une crête aiguë en forme de vague longe un tronc étendu. Sur chaque socle, même le plus petit, une silhouette de neige se dresse audacieusement. Un polypore rugueux, bien accroché à un vieux hêtre, porte un panache blanc, extravagant comme la fumée d'un encensoir.

Tout ça est éphémère.

La musique d'*Homo sapiens* doit être imaginée, comme on pourra imaginer, au printemps, les structures de neige qu'Antoine voit aujourd'hui : il faudra alors regarder les troncs et les souches qui les ont soutenues.

Il s'est toujours senti l'enfant de cet être musicien, a toujours voulu se mettre dans sa peau pour comprendre tout ce qui n'a pas été livré par le temps.

En rentrant, le marcheur réchauffe ses mains sous l'eau chaude, puis dépose ses écouteurs sur le comptoir. Au moment où ses oreilles se libèrent, il entend le son d'une grosse goutte d'eau, tombée du robinet jusqu'à un bol laissé dans l'évier. Confusément, il sent là le souvenir d'un rêve. S'arrête, comme un chien saisi par un son imperceptible.

Pour la première fois, il retrouve le fil presque disparu de cette révélation onirique et folle qui l'a conduit vers l'accident, il y a plusieurs mois.

Lui vient cette intuition que le délire éveillé était né d'un rêve bien plus doux.

Il s'assoit sur le tapis, les yeux tournés vers le feu qu'il a ranimé, et laisse flotter son esprit sans contrainte, en tirant légèrement et sans presse sur le fil qui le ramène dans une nuit de printemps chaude et agitée.

Il est dans la peau de son ami sapiens, il y a beaucoup plus de quarante mille ans.

C'est d'ailleurs son seul habit, cette peau velue, sinon une autre peau animale, drapée autour de lui.

Homo sapiens imagine ; cette force le propulse toujours plus loin. L'imagination est aussi une porte ouverte dans l'autre sens, une porosité qui le rend vulnérable. S'il a peur d'un bruit ou d'une ombre, il doit inventer pour se rassurer. Dans la caverne où il a trouvé refuge, il dessine.

Dans son rêve, Antoine voit les murs de la caverne. Son double sait styliser les humains, représenter les animaux. Il utilise une saillie sur la paroi pour que le torse du bison se bombe en trois dimensions.

Le temps fait marche arrière.

Son avatar paléolithique bascule, comme en apesanteur.

Le voilà dehors, surpris par un orage, le jour où il va découvrir la caverne, dont les murs sont encore vierges. Pour se mettre à l'abri, il recule entre deux rochers et sent un courant d'air frais derrière lui. Il se retourne et voit l'ouverture. Baissant la tête, il se faufile dans l'espace qui redevient d'un seul coup ouvert et généreux, un gouffre protecteur de noirceur humide.

Il n'a pas de torche.

Il avance prudemment de quelques pas, étourdi par la noirceur. C'est là, privé de la vue, qu'il entend le son d'une goutte d'eau tombant dans une flaque.

Rien à voir avec le bruit mat et sec de la goutte qui tombe sur la terre quand il boit.

Dans la caverne, la chute de la goutte est un prodige sonore. L'attaque du «plouc!» est incisive et large à la fois. Le son a un halo métallique et brillant qui claque à l'oreille. Réverbéré, il dure, et l'espace de la caverne se définit soudain par ce son qui l'emplit. Même s'il est seul, un murmure échappé lui fait comprendre que sa propre voix est transformée par cet espace.

Antoine sourit. Il voit et entend la suite : avant d'y dessiner sur les parois, *Homo sapiens* a joué de cette caverne comme d'un instrument de musique.

Il a créé les contours de l'espace dans le noir, en y déployant des sons dans le temps.

Dans une montée maniaque, il avait donné à cette vision l'importance des découvertes d'Einstein. Aujourd'hui, dépouillée de délire, l'idée lui semble calmement évidente : la musique unit l'espace et le temps.

Deuxième partie

Antoine ouvre les yeux : l'espace est pâle, lavé au néon.

Demeure parfaitement immobile, comprend qu'il est cloué à un lit d'hôpital, par le soluté accroché à son bras et par une étrange structure métallique qui entoure sa jambe gauche. Le dessin de ses veines et artères prend vie de l'intérieur, puis s'efface doucement. Les aiguilles miniatures veulent soulever sa peau mais se replient furtivement.

Avant même de penser au choc qui l'a emmené là, il comprend qu'on a profité de son immobilité pour réalimenter son cerveau en psychotropes. Se rappelle confusément un visage penché vers lui, le psychiatre de garde, sans doute. Oui, on l'a informé de la situation, obtenant son très vague consentement dans la brume de la douleur assourdie. Cet engourdissement chimique de l'esprit le dégoûte, mais l'énergie qu'il faudrait déployer pour s'y opposer n'est pas disponible.

Ariane entre, un thé à la main, et sourit en voyant son frère avec les yeux ouverts.

Lui demande comment il se sent.

Pas très bien.

Où il a mal.

Jambe, dos, bras gauche, tête.

Ce qu'il faisait devant Radio-Canada à cinq heures trente du matin, deux jours plus tôt.

Silence.

Elle lui dit que la gentille docteure de garde l'a reconnu : ils ont étudié ensemble, paraît-il.

Antoine ne voit pas qui.

La réponse surgit d'elle-même, avec un léger tambourinement sur la porte : Geneviève.

Antoine ferme les yeux, pressant ses paupières quelques secondes, comme s'il pouvait ainsi disposer de l'apparition.

Trop fatigué pour expliquer sa vie à Geneviève.

Trop fatigué pour expliquer qui est vraiment Geneviève à sa sœur.

Soucis inutiles : à la fois professionnelle et chaleureuse, Geneviève est pour l'instant médecin, c'est tout. Ni violoniste, ni ex-petite amie, elle fait le point sur l'état de sa jambe, sauvée par un chirurgien audacieux, après qu'on l'a déclarée perte totale. Six tiges métalliques horizontales traversent le tibia puis le fémur, rejoignant un montant vertical de chaque côté. Geneviève lui prédit une bonne lutte contre l'infection et lui prescrit beaucoup de courage pour la réadaptation.

À sa deuxième visite, elle l'encourage à se lever. Il s'appuie sur l'infirmière d'un côté et sur son ancienne amie de l'autre. Physiquement, Geneviève est une étrangère pour lui. Il se souvient de l'avoir embrassée et désirée, mais ce souvenir est froid, sans émoi.

Elle est objectivement jolie : la même fraîcheur naturelle qu'à dix-sept ans, avec de légères pattes-d'oie qui signent son sourire. Toujours la roseur des joues dans l'effort. Elle sourit, satisfaite, en le voyant se rasseoir. Déjà quelques fils argentés dans ses cheveux. Le prix de longues études, sans doute. Geneviève est là encore le lendemain, puis disparaît.

Quand elle réapparaît pour un nouveau tour de garde, deux semaines plus tard, Antoine est plus stable et plus sombre. L'infection est à peu près jugulée. Il met le minimum d'énergie nécessaire pour mobiliser sa jambe et bouger le reste du corps.

Après l'examen physique, Geneviève est directe : elle a échangé avec Ariane, pendant sa sédation. A su qu'il était en plein épisode maniaque au moment de l'accident, tout médicament abandonné depuis des mois.

Trouble affectif bipolaire, c'est un contrat à vie, dit-elle calmement. Puis elle lui demande, comme si le choix restait à faire, s'il a l'intention de continuer la médication reprise à l'hôpital.

Oui.

Antoine songe furtivement que Geneviève a toujours su poser des questions simples, des questions qui lui donnent rendez-vous avec lui-même.

Il est honnête. Se sent déjà recentré, mais pas heureux.

Contre toute attente, c'est la soignante qui abat une carte lourde : une dépression, pendant sa résidence. Geneviève décrit le vide autour d'elle. À part deux ou trois amis, les étudiants en médecine la fuyaient, comme si c'était contagieux. Elle a pensé à lui. Se trouvait tellement idiote d'avoir eu peur, de n'avoir rien fait pour l'aider.

Antoine lui rappelle qu'ils avaient dix-sept ans. Ignoraient tout de la maladie mentale.

— Je n'avais pas besoin d'aide, dans ma tête j'étais un demi-dieu.

Un silence, puis Geneviève sort un disque de la poche de son sarrau. Brahms, les sonates jouées par Mutter. Lui montre, curieuse de voir s'il se rappelle.

— Je l'ai acheté moi aussi.

Toujours aucun émoi, mais soudain, le bien-être de côtoyer quelqu'un avec qui il partage des images anciennes, fondatrices.

Et le violon ?

Antoine veut savoir si son amie en joue encore, parfois.

Elle a continué longtemps, faisant partie à l'université d'un orchestre unique en son genre, entièrement formé d'étudiants en médecine et de professionnels de la santé. Antoine se demande si on a déjà sondé le QI moyen de cet orchestre. Le résultat potentiel l'affole. Pourquoi cette injustice, ces êtres sans limites ?

Geneviève a joué pendant toute sa résidence, demeure convaincue que ça l'a sauvée de la dépression. Puis elle a eu deux enfants, rapprochés. Une autre vie. Antoine sent une pointe de regret croiser la fierté, dans le regard et le sourire maternels. L'idée que la plus vieille se mette bientôt au violon semble réveiller un espoir en elle.

La jeune médecin revient à son devoir. S'assure qu'Antoine s'oriente vers la réadaptation nécessaire à sa sortie de l'hôpital. Elle sera de garde à nouveau, deux semaines plus tard, mais il devrait avoir quitté d'ici là.

Ils évitent la fausse promesse de se revoir, ayant le jugement et l'affection nécessaires pour cela.

Le lendemain, Leila fait une apparition. Belle et tragique. Sa beauté frappe Antoine, comme un fait objectif. La tragédie, portée comme un habit de circonstance, lui pèse immédiatement.

Trop fatigué pour ouvrir le coffre gigogne de leur amour éteint. Une boîte de culpabilité cachant une boîte de déception, puis une de reproches. Au cœur de ces boîtes de plus en plus petites, on ne trouverait probablement qu'un caillou noir et mat, refroidi depuis des mois.

Son ancienne conjointe reste digne et adéquate, posée au bord du lit comme si elle présentait ses hommages à leur relation défunte. Leur vie était comme ça : digne et adéquate.

En écoutant Leila parler de son travail, évoquer son inquiétude pour lui, Antoine est soudain étrangement soulagé de sentir qu'il ne sera jamais adéquat. Il comprend au passage que Leila a un nouvel amoureux, ce qui ajoute à son soulagement. Il ne se voit plus dans un appartement propre de Côte-des-Neiges, l'un de ceux où les étudiants avancés s'installent, le plus près possible des belles maisons d'Outremont achetées jadis, au bon moment, par leurs professeurs vétérans.

Leila et Antoine descendaient parfois de la montagne pour assister à un concert au centre-ville, arrêtant au passage chez Archambault, seul endroit où on vendait encore des partitions de musique. Antoine se rappelle un soir d'automne où ils avaient mis la main sur quelques duos baroques, espérant les jouer ensemble. Leila avait été flûtiste avant d'étudier en musicologie et aimait, comme Antoine, garder le contact avec son instrument.

Quittant le magasin alors que le soir tombait, ils avaient marché sur Sainte-Catherine vers la Maison symphonique. Leila tenait son bras avec son habituelle chaleur, heureuse de cette sortie.

Il l'avait peu à peu sentie se tendre en croisant des êtres spectaculaires : sourcils froncés et broussailleux, sourire exposant des dents gâtées, nervosité du visage en manque, accoutrements extravagants. Une faune humaine offrant en toute transparence ce qu'on contrôle et refoule si bien en zone universitaire. Le déséquilibre épanoui en une forme d'art de rue. Antoine avait taquiné sa compagne mal à l'aise.

Aujourd'hui, il met dans la balance la patience infinie que Leila déployait avec lui : s'il était à l'aise parmi les marginaux, elle avait le mérite de lui avoir ouvert les bras sans peur.

Sur son lit d'hôpital, il a l'impression d'être enfin juste avec cette femme. Reconnaissant, désolé, mais dégagé.

Antoine retournera le plus vite possible dans son trois-pièces du Centre-Sud. Il se sent chez lui près des anticonformistes qui ignorent l'être, occupés à composer chaque jour avec eux-mêmes et la survie.

Il espère ne plus sombrer, ne plus exploser, mais préfère ne plus jouer à être normal.

Le grain de la folie, l'odeur du gouffre rôderont toujours autour de lui. Il doit accepter leur présence pour les tenir à la bonne distance.

Antoine voit Sarah entrer dans le restaurant.

Offrir un sourire éclatant au jeune homme qui lui indique leur table. Grande, la posture dessinée par plusieurs années d'escrime.

Il a longtemps cherché le secret de cette posture: c'est l'angle du visage, parfaitement perpendiculaire au sol. Le cou n'est jamais cassé. Ni vers l'avant – un peu abattu –, ni vers l'arrière – bêtement étonné. Le regard est prêt pour l'autre, pour l'échange, la feinte ou l'attaque, mais sans le masque.

Il voit tout de suite qu'elle porte une charge. Elle lui sourit, mais le sourcil est préoccupé.

Ils ont le temps d'un apéro en tête-à-tête, souhaité par Sarah. Le père d'Antoine doit les rejoindre dans quarante-cinq minutes. Le souper, prévu autour des fêtes, a été remis. Le père a été malade, une bronchite s'étirant en longueur, dont il émerge difficilement.

Sarah demande un verre de blanc, Antoine une eau pétillante. Point d'interrogation dans les yeux de son amie: on vient d'ajuster sa médication, il fait attention pour l'instant. Hochement de tête approbateur.

Il raconte son récent séjour au chalet de sa sœur. Sarah est aux aguets, se souvenant trop bien de l'expérience précédente; au retour, son ami délirait, préparant la fin du monde. Elle avait dû abdiquer dans les semaines suivantes, après trois tentatives pour l'entraîner aux urgences psychiatriques. Ne le confrontait plus, s'assurant simplement qu'il reste en vie. L'avait ensuite retrouvé à l'hôpital, cassé en morceaux.

Cette fois tout s'est bien passé, elle soupire de soulagement. Puis, avec sérieux, elle sort de son sac une chose étrange et drôle. Une chenille géante, molle et fluide ; plus de cinquante centimètres de matière colorée et poilue.

Pour faire changement du serpent : elle l'imagine en charmeur de chenille.

Antoine sourit, amusé.

Sarah a assisté au numéro en décembre. Excitée de le voir créer quelque chose, elle presse son ami d'en faire le début d'un spectacle, a offert de lui présenter un cousin marionnettiste.

Antoine est lent, se mobilise peu. La chenille est là pour le taquiner. Il accepte le cadeau avec bonne humeur, mais ne s'engage surtout à rien pour l'instant.

Sarah connaît le pacte. Son ami a choisi de sacrifier une part flamboyante de lui-même, de la tenir sous contrôle chimique. En échange, il demande simplement la paix. Ne pas nuire, mais ne rien devoir prouver. Observer la vie suffit à l'intéresser pour l'instant.

Et l'opéra ?

Un grand succès. Fiordiligi lui va si bien. Mozart a écrit ce rôle pour elle ! Mise en scène intéressante : *Cosi fan tutte* a besoin d'une lecture intelligente.

Toujours aussi misogyne, cet opéra ?

Pas tant. Si on campe bien les deux filles, ça va. Dans le fond, elles résistent à la drague lourde et envoient les gars promener. Ils doivent s'y reprendre avec pas mal plus de finesse pour séduire.

Sarah charge les mots. Appuie sur la leçon, comme pour elle-même.

Antoine sait où aller.

— Ton maestro va bien ? Tu l'as vu, comme prévu ?

— Oui.

Elle prend une gorgée. Le regarde calmement mais avec dureté.

— C'est fini.

Antoine ne dit rien. Son visage change à peine d'angle. Le coin droit de sa bouche s'étire légèrement. Il tient à deux mains le pied de son verre froid, attendant la suite.

Sarah inspire et soupire. Son souffle vibre comme une planche à laver.

Il sent le stress et la peine.

Elle repasse le mauvais film.

Elle est déjà occupée par son opéra depuis quatre jours quand le chef arrive en ville. Directement de l'aéroport, il file à la salle de concert pour une première répétition. Ils ont convenu de s'y retrouver. Elle s'y rend, légère, sait qu'elle passera deux jours agréables, peu importe la suite de leur histoire.

La violoniste invitée comme soliste, une perfection de beauté et de talent, est beaucoup plus jeune qu'elle.

Vingt ans tout juste, l'élue récente d'un grand concours international. En quelques minutes, quand elle vient rejoindre le chef à la fin de la répétition, Sarah saisit tout.

Le regard dévorant du chef pendant que la violoniste joue, divinement bien, portée et transfigurée. L'humour quand il s'adresse habilement à elle pour placer un détail, la main qui s'attarde en la félicitant.

Sarah se revoit, exactement à la même place que la violoniste, il y a moins d'un an.

Le chef reste vague, «une bonne amie», en présentant la chanteuse à la soliste du jour.

La petite sourit gentiment.

Pour Sarah, une évidence: ce sera la prochaine.

Sauf qu'elle n'a pas prévu la suite.

Elle passe une nuit avec son amant, mais ne peut assister au concert symphonique parce qu'elle répète son opéra. Il quitte la ville sans la revoir.

C'est dans les coulisses de l'opéra, deux jours plus tard, qu'elle entend la rumeur: la jeune violoniste et ses parents ont porté plainte auprès de l'administration de l'orchestre. Le chef a brutalement embrassé la petite dans sa loge après la générale, le jour du concert.

L'affaire a vite été emballée sous du velours amortissant. Des détails filtrent, vrais ou pas: les excuses auraient été accompagnées de la promesse formelle de réengager la nouvelle star du violon, avec un autre chef bien entendu. On veillerait aussi à la réalisation rapide d'un projet de disque.

Sarah, dont personne à l'opéra ne connaît la liaison avec le maestro, se sauve discrètement et vomit de honte. Elle a vu la mécanique du prédateur s'activer autour de cette jeune proie. Et c'est justement de cela qu'il s'agit : elle a soudain compris qu'elle n'était qu'une proie, par définition destinée, une fois digérée, à être remplacée par une autre.

Antoine est triste de ne pas être surpris. L'histoire est aussi odieuse que banale. Il demande à son amie ce qu'elle a fait.

La chanteuse a écrit au chef combien elle se trouvait bête de ne pas l'avoir giflé au premier baiser, pris de force. A tout effacé. Écrit quelque chose de vague. Pas à l'aise dans cette situation ambiguë, sent le besoin d'une relation plus entière et comprend, bien entendu, qu'il ne peut pas lui offrir cela.

Elle fixe Antoine avec cette dureté tournée vers elle-même.

Elle a si honte d'être tombée dans ce piège et d'en sortir par la porte de côté, juste pour protéger sa carrière.

Sa voix, grave, prend toute la cage thoracique :

— J'ai honte.

C'est là qu'elle explose. À gros sanglots. Elle se met à l'abri sur l'épaule de l'ami, secouée. Une cascade de cheveux déboule sur son visage, cachant les larmes. La lumière tamisée du restaurant assure un peu de discrétion.

Antoine interroge doucement la jeune femme dévastée sur ce qu'elle ressent : orgueil blessé ? Déception ?

Elle se dit stupéfaite de sa propre bêtise, révulsée d'avoir couvert un agresseur. Constate que ça dure probablement depuis des années. L'homme continue de foncer. Il ne peut simplement pas imaginer que certaines vont le repousser.

Antoine reste calme, l'assure que l'histoire qu'elle a vécue ne veut pas dire qu'elle endosse l'homme dans ses dérives.

Sarah patauge dans une culpabilité nauséeuse. Ne voit que sa propre laideur démasquée : ambition, carriérisme, droit de cuissage consenti.

Son ami ouvre une autre porte : mais la musique ? Oui, la musique, la charge sensuelle de la musique qu'ils faisaient ensemble.

Sarah sait que ce chef est allumé par les jeunes beautés, mais aussi par le talent. Elle déballe, tout déboule.

— C'était vraiment grisant, je pouvais enfin tout faire… La jouissance du son, du flot musical, c'est tellement sensuel, mais c'est pas évident d'accepter de vivre ça ouvertement, d'assumer cette force animale devant l'orchestre, de l'offrir au public. Avec lui, c'est un *high* incroyable d'être sur scène : ça devient facile d'être impudique.

Antoine a connu la puissance de l'orchestre, a vu des solistes se transporter dans cette zone sublime où le don de soi, au-delà de la maîtrise technique la plus parfaite, devient animal. La plupart du temps, les musiciens impliqués restent dans le sublimé pour faire du sublime.

Son amie apprend à la dure, dans un milieu qui tolère encore parfois des attitudes détestables.

Sarah a juste le temps de sécher ses larmes; le père arrive. En moins d'une heure, le fils aperçoit un deuxième visage connu serré par l'angoisse. Encore fatigué de sa bronchite se dit-il, faisant taire une inquiétude perspicace.

L'homme toujours bien mis est heureux de les voir. En le regardant serrer Sarah dans ses bras, Antoine mesure encore une fois l'apaisement qui s'est installé en lui avec la fin des aventures extraconjugales de son père, l'attachement rendu possible. En l'embrassant à son tour, il sent instantanément les quelques kilos qui ont fui.

Le père demande des nouvelles de la carrière de Sarah, la félicite, la couve d'un œil paternel.

Elle lui raconte les lignes droites, heureuse de laisser les méandres amoureux bien au secret, gardés par son ami.

Un petit silence. Puis le père les regarde.

Dans ce seul regard, Antoine comprend. Les mots qui suivent ne font que confirmer.

Cancer du poumon, déjà la certitude de métastases. Soixante-dix ans tout juste, pas encore grand-père, énormément de tristesse.

Ne veut pas se battre, juste gagner un peu de temps pour bien régler ce qui doit l'être, apprivoiser l'idée.

—

Antoine arrête au dépanneur avant de descendre dans le métro. Huit heures dix. Lui faut un café, n'a pas eu le temps de s'en faire. La machine rutilante de Réjean expulse un filet brun translucide qui rendra l'heure de travail supportable.

Il a mal dormi, aurait pu sauter une séance de métro, mais il a, comme rarement, le besoin de sentir que la vie continue.

La résignation de son père lui a semblé acceptable sur le coup, mais il a peur de manquer de temps. Le fils s'en veut d'avoir gaspillé plusieurs années en brûlant le père par son instabilité dangereuse. Se demande s'il sentira le besoin de s'en excuser, si son père voudra à son tour s'ouvrir. Dans la nuit, les grands scénarios d'échanges déchirants se sont bousculés.

Levé à l'heure, Antoine a trop traîné devant le garde-robe. Le matin précédent, l'angle du soleil sur le miroir de sa chambre avait rebondi sur un t-shirt vert bouteille qui avait rapidement trouvé des alliés : un jeans gris, la veste noire, les bottines. En deux minutes tout était enfilé. Une journée facile semblait s'annoncer, avec le plaisir anticipé de voir Sarah et son père.

Ce matin, la même armoire est restée muette. Un écho désolé à son désarroi. Il a fini par remettre les mêmes vêtements, comme s'il pouvait rejouer le temps, effacer la mauvaise nouvelle.

Trois personnes font déjà la file au dépanneur.

À la caisse, Réjean a son air habituel. D'une patience infinie avec chacun, mais conservant une distance semi-tragique dans le regard. Souvent, Antoine le croise sur Sainte-Catherine, sorti griller une cigarette devant son commerce. Il a le même air. La clientèle est difficile, il se la prend dans la gueule mais reste debout et silencieux. Réjean ne tente pas de jouer au travailleur social pour se donner bonne conscience. Il vend de la loto, des cigarettes, de la bière, du Pepsi et quelques conserves, plus cher qu'à l'épicerie. Avec patience, c'est tout.

Ce n'est pas lui, ni Antoine, qui arrêtera le commerce de la mort enroulée à petites doses. Ce matin-là, une femme du quartier, toujours trop emmitouflée, demande ses cigarettes. Montre la marque, demande un paquet de vingt. Réjean répond qu'elles viennent en paquet de vingt-cinq. Sinon, en vingt, ce sont les menthols. La femme insiste, veut un paquet de vingt.

Elle fumera des menthols. Peut-être que c'est toujours ce qu'elle fume, mais c'est surtout le nombre qui compte.

Tellement trop habillée pour la saison. Il y a des boutons attachés partout: en plus du manteau bien fermé, col, martingale, bonnet, tout est retenu par d'autres boutons, comme si c'était le seul moyen de contenir ses idées.

Elle sort un paquet de cartes liées par un élastique.

Presque cinquante-deux, se dit Antoine. Presque assez pour une patience, mais elles sont en plastique. Il y a sans doute là des générations de cartes périmées, les siennes et d'autres trouvées. Elle interroge la pile, les doigts gourds. Antoine repère la bonne : il a quelquefois aperçu la dame à la porte d'une banque, tout près. D'un mouvement des sourcils, il l'indique à Réjean, qui la pointe à son tour à la dame.

Elle la regarde, perplexe, « oui, peut-être bien ».

Les manœuvres sont tellement lentes que Réjean a eu le temps, discrètement, de faire payer son *Journal de Montréal* au client suivant et de le lui glisser dans un sac de plastique qui semble indispensable, malgré le beau temps. Réjean connaît ses habitués.

Un troisième client, puis Antoine paye son café et file vers la porte.

Bien installé en quelques minutes, il met en vedette pour la première fois la chenille psychédélique de Sarah. Constate rapidement que l'effet est là, mais moins saisissant et durable que celui du serpent. Plus comique, la chenille ne retient pas le regard parce qu'elle ne fait pas peur. Elle bouge bien dans les airs, mais se replie moins subtilement dans le tissu léger. Ses poils colorés restent trop visibles. Et puis la musique ne colle pas. Il faudrait tout reprendre, mais il ne voit pas quelle musique servirait cet animal ludique. Il remballe le tout distraitement, sans avoir envie, pour l'instant, de chercher une solution.

En remontant vers la sortie, une affiche croisée à plusieurs reprises capte son attention. Il prend le temps de s'arrêter pour comprendre ce qui l'attire. L'image annonce *Le lac des cygnes*, présenté bientôt par une troupe ukrainienne en tournée. On voit la danseuse étoile en pleine arabesque.

Tous les signes de la grâce et de la perfection mécanique y sont, mais le regard de la ballerine le trouble soudain.

Le thème de la mort du cygne surgit dans son esprit : un solo de hautbois déchirant annoncé par un frémissement des cordes.

Cette fille est fatiguée. Antoine en est certain. Un flou fragile dans l'œil. Elle ne mange pas assez, se fait bouffer par une danseuse plus jeune qui monte trop vite. On en voit quatre à l'arrière-plan sur la photo. Antoine regarde attentivement et repère celle de droite : c'est elle, il le sait. Son corps parfaitement aiguisé s'anime plus que les autres. Sa verticalité semble sans limite, tout comme son sourire conquérant.

Il voit se jouer sur cette affiche une histoire connue, celle de la fin de ses études au Conservatoire. L'histoire absurde et dévastatrice d'un jeune artiste qui perd toute confiance, simplement en mesurant qu'il n'est pas un génie.

C'est l'arrivée d'Olivier dans la classe de hautbois qui a tout changé pour Antoine.

Jusque-là, il savait faire partie de l'immense majorité des humains dotés d'aptitudes normales pour la musique. Dans ce grand lot, il y a de tout : des gens peu intéressés par la musique, mais qui auraient tout pour en faire, jusqu'au musicien professionnel, que son vif attrait pour la chose a porté de plus en plus loin.

Olivier appartient clairement à l'infime minorité des surdoués. Transféré d'un conservatoire éloigné où plus aucun défi ne s'offrait, il est de tous les ensembles, saisit la moindre occasion de jouer.

Antoine, en l'écoutant, imagine un câblage hors norme dans son cerveau, entre la zone qui déchiffre la musique et celle qui envoie des centaines de commandes aux doigts et aux muscles de la bouche. Et son oreille! Cette capacité d'improviser, de reproduire facilement des passages complexes. Et la stabilité de la concentration, comme un courant continu, égal et sans faille. Antoine a connu cette efficacité presque surnaturelle du cerveau. Mais dans son cas, rien de stable : de brefs épisodes productifs débouchant sur un survoltage.

Olivier est gentil, mais ne comprend simplement pas qu'on puisse trouver la musique exigeante. Ne fait rien pour écraser les autres, mais ce qu'il accomplit suffit à les complexer. En plus du hautbois, il joue du saxophone, fait du jazz, compose, et tout ça lui est si facile qu'il trouve encore beaucoup de temps à perdre sur son iMac couleur tangerine. Il découvre par lui-même les rudiments de la programmation informatique et se détend en faisant virevolter son cube Rubik, lui redonnant ses faces monochromes en moins d'une minute.

Plus tard, Antoine sera troublé par la liaison d'Olivier avec Sarah; pour l'instant, il est déstabilisé en côtoyant l'étudiant surdoué. Sans s'en rendre compte, son collègue est souvent assez cinglant en parlant des instruments à vent, convaincu qu'ils attirent un bon lot de musiciens médiocres, venus chercher refuge dans un secteur moins compétitif que le violon ou le piano. Même s'il se sait loin de la médiocrité, Antoine se sent visé. Le jour où il se questionne sur ses chances de faire carrière comme hautboïste, Olivier se veut encourageant.

— Dans l'état actuel de la profession, tu peux faire très bonne figure.

La phrase est à double tranchant, et Antoine retient surtout celui qui blesse. S'il peut avoir une carrière, ce sera donc parce que le niveau ambiant est faible. Condamnation à l'imposture. Simplement parce qu'il n'est pas comme Olivier. Il ne fait pas partie des élus. Cette injustice génétique doit être cachée et expiée comme une faute. Ou à tout le moins compensée. Il y consacrera beaucoup d'énergie, pendant deux ans.

L'année de son concours, son humeur intérieure demeure douteuse, inquiète : la crainte le ronge.

Il mange à peine pendant des mois, dort mal. Compte les semaines, compte son courage, comme si c'était la fin des réserves.

Prend scrupuleusement ses médicaments, la plus faible dose possible, pour minimiser les effets secondaires sans perdre la carte.

Répète, répète encore, visualise toutes ces notes, tous ces gestes, pour être certain de pouvoir les exécuter sous la pire menace : lui-même.

Sarah l'encourage, l'écoute souvent jouer ses pièces en prenant à la blague un air sévère pour imiter les juges.

Son professeur, convaincu du sérieux de sa préparation, ne sait plus quoi lui dire pour l'aider, semble souhaiter que l'épreuve finale le libère lui aussi.

Antoine joue son concours dans un état second, à la fois tétanisé et efficace comme un soldat.

Tout se passe assez bien, il obtient son diplôme.

Pas en état de grâce, en état de peur. Mais de cette peur a jailli une énergie rythmique, une articulation incisive. La redoutable fantaisie de Pasculli, sur les thèmes d'un opéra italien, n'a connu aucune faille. Calories vides flamboyantes, contrastant parfaitement avec un concerto de Mozart bien vivant mais sobre. On lui a reconnu un certain panache, une grande connaissance des styles musicaux. Pendant quelques passages lents, il a su ouvrir le bon canal, laissant une émotion profonde le guider.

Aussitôt sorti du Conservatoire, il s'inscrit comme il peut dans le circuit des musiciens pigistes. Orchestres régionaux, petits contrats d'animation musicale, quelques élèves éparpillés dans trois écoles secondaires. Il enseigne aussi dans un centre pour musiciens amateurs, bienheureux soient-ils.

Les amateurs exercent un métier souvent plus payant et moins stressant, et tirent tous les bénéfices de la pratique musicale. Antoine se sent parfois un peu jaloux d'eux. Jaloux de cet amour inconditionnel de la musique, de cet enthousiasme infini. Avec son stress chronique, son dos fatigué, ses horaires hachurés et ses revenus faméliques, le jeune musicien professionnel n'a pas toujours le luxe de cet enthousiasme. Quand il croise un musicien amateur qui a envie de partager ses découvertes discographiques récentes, il est à la fois admiratif de ses connaissances et un peu las.

Les amateurs ont des instruments bichonnés, des partitions recouvertes d'un plastique protecteur, comme les livres de la petite école. C'est touchant et ça sent le paradis perdu. Mais le plus grand privilège de l'amateur, c'est que par définition, il ne peut pas être un imposteur.

Le retour aux études en ethnomusicologie, à l'Université de Montréal cette fois, sera la voie de compromis.

Tout ça est loin maintenant, et Antoine s'amuse à se demander si le hautboïste du métro, avec sa chenille absurde, est amateur ou professionnel.

Il s'étonne de constater qu'il est surtout en paix.

—

En sortant du métro, Antoine décide de marcher, de mordre du trottoir.

Il a passé trois longues heures à l'hôpital, avec son père.

Salle d'attente, bureau du médecin.

Ascenseur, couloir, erreur de parcours, nouveau couloir, attente, prise de sang.

Longs couloirs, salle d'attente, scan.

Antoine marche lentement, transportant les effets personnels de l'homme émacié perdu dans une informe jaquette bleu ciel, à motif de flocons de neige. Le malade est courtois avec absolument tout le monde à l'hôpital, remerciant chaque technicien, chaque infirmière, s'excusant pour sa lenteur. Son fils l'a connu plus abrasif, impatient sur des enjeux futiles : il apprécie en silence la version stoïque de l'homme. Faisant face avec aplomb au mot *incurable*, celui-ci refuse cependant d'être poussé dans un fauteuil roulant.

Il veut mourir debout, se dit Antoine, impressionné par la détermination qui se mêle à la tristesse dans l'œil si noir et encore brillant.

Son père a accepté de lui céder le volant au retour. Le fils a garé la berline, puis a mené le père au seuil de la porte, la belle-mère prenant le relais avec un sourire anxieux. Avant de partir, Antoine sort de sa poche un coffret de trois disques : le premier opus des quatuors à cordes de Beethoven.

L'homme cerné et fatigué sourit, reconnaissant. Au téléphone, la veille, le vieux mélomane avait parlé de ces quatuors. N'a jamais retrouvé sa version préférée, après le déménagement à Montréal.

Il a besoin de refaire une fois le grand cycle. Plus de quinze quatuors, par moments aimables, mais plus souvent chargés de tensions métaphysiques.

En lui tendant le boîtier, le fils sait qu'il engage son père dans un voyage crépusculaire irréversible.

Vingt minutes plus tard, en sortant du métro, Antoine s'arrête pour chercher sur son iPod le premier quatuor, l'opus 18 numéro 1.

Devant lui s'avance une figure connue, celui qu'il surnomme « le prince western », moulé des pieds à la tête dans un costume à franges, du même blanc jauni que ses cheveux, retenus en queue de cheval. Gary Prince de son vrai nom.

— Ça va, l'ami ?

On ne ment pas au prince western : ils ont mangé de la soupe populaire ensemble, ont parlé, ni trop, ni faux.

— Mon père va mourir, je veux écouter la même musique que lui.

— Désolé, l'ami. C'est quoi, ta musique ?

— Beethoven.

Antoine lui tend un des deux écouteurs. Gary s'approche, assez près pour qu'on sente le déodorant sport appliqué généreusement, et aussi la sueur accrochée au costume. Il écoute et fronce les sourcils, surpris. Enlève le bouton d'écouteur après trente secondes.

— Intense, *man*.

Après ce constat sans jugement, le prince tape sur l'épaule d'Antoine et continue son chemin.

Le jeune homme se dirige vers chez lui, mais continue sur Sainte-Catherine, longtemps après avoir croisé sa rue. Encore une fois, il pense au chirurgien qui a sauvé sa jambe et le remercie intérieurement, sans vraiment revoir son visage. Freiné par un handicap permanent, Antoine aurait sombré pour de bon. Le rythme régulier et rapide de ses déambulations contribue à stabiliser son cerveau, il en est convaincu.

De l'autre côté, il voit passer Francine, son bébé dans les bras. La première fois, il y a quelques semaines, il a sursauté en voyant la silhouette connue recroquevillée sur un poupon. En alerte, il a pensé à un bébé dérobé ou placé par erreur sous la supervision de la femme instable. En s'approchant discrètement, il a vite compris que c'est une poupée souple et bien emmaillotée qu'elle serre contre elle. Depuis, il la voit moins souvent effondrée, ne l'entend plus se lamenter ; elle se promène avec son bébé, certaine que c'est le mouvement de ses pas qui le garde si calme.

Antoine croise d'autres visages familiers. Ne cherche rien, marche vite. Écoute Beethoven et pense à son père qui a le courage d'affronter la charge de cette musique.

Après quelques centaines de mètres désolés, sous le pont Jacques-Cartier, la rue reprend vie. L'économie sociale fleurit, tentant de prendre de vitesse l'embourgeoisement. Café, garderie, centre de dépannage alimentaire, puis une vitrine hésitant entre la brocante et le magasin d'entraide. Juste comme il dépasse celle-ci, il freine et recule de trois pas. Dans le coin supérieur droit de la vitrine, une forme longiligne a attiré son attention.

Une poupée de laine, comme ils en fabriquaient à la maison, plutôt longue et filiforme. Couleur café au lait, avec une laine bouclée brune très foncée pour la chevelure. Le visage est tout simple : deux grands yeux de feutrine noirs, une petite bouche rouge, brodée. La poupée porte une camisole noire et une jupe à volants qui lui donne un air gitan. En l'installant dans la vitrine, quelqu'un a pris soin de suspendre son bras droit pour qu'il forme un arc gracieux. Ce geste de danseuse a immédiatement frappé Antoine, qui entre dans le magasin et achète la poupée pour cinq dollars.

Il tentera de la faire danser avec son hautbois.

En touchant la poupée, ses doigts revivent le bricolage tout simple, répété si souvent. Alors qu'il venait d'avoir onze ans, sa mère leur avait appris, au printemps. Il avait pigé plus vite que la jeune Ariane.

D'abord, on forme un long fuseau de brins de laine, deux fois la longueur de la poupée désirée. On l'attache solidement au milieu, qui devient le sommet de la tête. La laine entoure et couvre une petite boule de styromousse, sous laquelle on noue tous les brins pour former le cou. Puis, on divise en faisceaux, qu'on tresse chacun leur tour. Les deux premiers pour former les bras, puis, après avoir attaché ce qui reste de laine solidement à la taille, deux nouvelles tresses pour les jambes.

Fascinée par la vitesse à laquelle son grand frère pouvait fabriquer ces poupées, Ariane l'avait observé longtemps avant de s'y mettre à son tour. Il prétendait les faire pour elle, mais vibrait secrètement en mettant au monde ces petits humanoïdes. Vers la fin de l'été, la cadette maîtrisait la technique, alors que leur mère, pleine d'énergie depuis quelques mois, trouvait sans cesse de nouvelles idées pour habiller les poupées. Gants de laine transformés en chandail miniature ou en pantalon, jupe taillée dans un foulard de soie flamboyant et coûteux, sacrifié sans hésiter par la mère, de plus en plus survoltée. Elle cuisinait ses confitures et conserves de septembre jusque tard le soir, puis cousait encore une partie de la nuit.

Les deux enfants, heureux d'une aventure tourbillonnante, n'y voyaient pas le pôle opposé à la lourde déprime de l'hiver précédent, la griffe d'un désordre de l'humeur.

Début octobre, tout avait pris des proportions étonnantes. Quand ils revenaient de l'école, Antoine et Ariane trouvaient leur mère à quatre pattes, créant des chemins de carton entre les fauteuils du salon, devenus des maisons pour la population de laine. Les légumes fanaient sur le comptoir de cuisine, oubliés entre les pelotes, le carton de couleur et la feutrine. Le riz brûlait au fond de la casserole, et on finissait, de plus en plus souvent, par commander de la pizza.

À l'approche de l'Halloween, le ton avait changé. La mère parlait maintenant de les protéger des mauvais esprits en créant une armée de sorcières bienveillantes.

Elle travaillait toujours aussi fort, mais moins longtemps, l'air plus soucieux. Antoine avait créé plusieurs poupées sorcières aux cheveux rugueux, mais sentait le désenchantement s'installer.

Le père avait alors vu que le cycle achevait. Avait veillé à ce que sa femme ait sous la main de quoi engourdir la douleur qui, encore une fois, montait alors que la lumière baissait.

Cette année-là, l'année des poupées, Antoine avait compris que sa mère n'était pas comme les autres.

Oui, il ferait danser cette poupée gitane, pour elle.

Que serait l'ordre puissant du quatuor à cordes, son émotion qui sonde les profondeurs, sans le chantier du bricolage intuitif, vibrante école de liberté ?

—

— On y va ensemble !

L'idée a jailli de la bouche de Sarah, qui tend docilement les doigts écartés de sa main gauche vers Antoine. Dans la main droite, elle tient le carton élégant et coloré qu'elle a aperçu sur la table de son ami. Jérôme Agostini fête les cinquante ans du magasin familial et a lancé l'invitation à tous ses clients.

Antoine se concentre sur le petit pinceau, les yeux grands ouverts. Le rouge foncé exige une précision absolue. Sarah joue d'audace pour un concert de Pâques, *La Passion selon saint Jean* sera intense.

— Tu veux bien m'emmener à cette fête, chez Agostini ?

Concentré, Antoine répond lentement.

— Tu m'imagines vraiment, au milieu d'un cocktail ?

— C'est quand même pas le Bal de la Jonquille ! On te trouve un veston pour dix dollars à la friperie. Tu laves ton jeans noir, je te repasse une chemise. Ta silhouette et tes cheveux brillants font le reste.

Presque par distraction, Antoine glisse un faible « peut-être ».

Peut-être tenter quelque chose. Sortir du tunnel où il observe un homme, son père, apprendre la mort en écoutant les quatuors de Beethoven. Le malade entame la deuxième série, après avoir parcouru l'opus 18 pendant près d'un mois. Parfois, un mouvement lui semble d'abord insondable. Il l'écoute à nouveau, deux fois au besoin, avant de passer au suivant. Cet itinéraire est soigneusement raconté au fils, mais le père ne livre pas ses secrets intérieurs. Il lui a dit l'essentiel, en quelques mots : la vie garde un sens, quand on l'interroge par la musique.

Antoine admire et comprend. À sa demande, il lui apporte les quatuors suivants avec crainte, certain que son père calque instinctivement l'itinéraire musical sur l'avancée de la maladie.

— Comment va ta belle-mère? demande Sarah, comme si elle avait suivi ses pensées jusqu'à l'appartement du Vieux-Montréal où vit le couple.

— Elle est à la hauteur. Une vraie TS.

Sarah connaît le jargon, le nom abrégé des professionnelles comme Suzanne. Elle-même avait rencontré une travailleuse sociale de l'hôpital, après l'accident d'Antoine, qui l'avait fermement dégagée de toute culpabilité, tout en l'outillant un peu mieux.

— C'est réaliste qu'ils viennent au concert?

Certainement pas sage, mais pourquoi faudrait-il l'être? Antoine sera chauffeur désigné, les laissant à la porte de la Maison symphonique avant d'aller stationner la voiture, pour que son père marche le moins possible, accompagné par Suzanne.

Antoine a proposé la sortie à la dernière minute, sachant que Sarah pouvait leur trouver des billets si l'état du père le permettait. Suzanne a d'abord fait une drôle de mine, troublée par l'image mortifère de l'œuvre de Bach. Le père, se souvenant de la fascination de son fils pour ce chef-d'œuvre, alors qu'il était hautboïste débutant, a hoché la tête en souriant. Son chemin de croix est signé Beethoven : ce n'est pas une *Passion selon saint Jean* qui va lui faire peur.

Antoine termine son travail et regarde l'ensemble. Sarah est ravie. La robe noire prendra du relief grâce à l'accent final de ses longs doigts.

Elle a chanté la *saint Jean* à quelques reprises, s'y sent à son aise : ce concert attendu ne l'effraie pas. Deux beaux airs complexes, bien maîtrisés. Elle traversera quelques heures de trac, mais le monde ne chavirera pas autour d'elle. Antoine admire l'assurance sans déni et sans arrogance acquise par son amie.

Pour l'instant, celle-ci est plus préoccupée par la fête d'Agostini, « un rationnel, avec de l'instinct et du style ». Antoine a compris qu'ils se sont croisés à quelques reprises dernièrement. Il sait quoi penser du constat posé de la jeune femme. Est rassuré de la voir enfin émerger de l'amertume.

Sarah a saisi son téléphone et agite ses doigts avec prudence, pour ne pas abîmer le vernis encore frais, jetant un coup d'œil au carton d'invitation.

Son immense sourire satisfait est sans appel. Elle tourne le petit écran vers son ami : a répondu qu'il y serait, accompagné.

Antoine soupire. Il a dix jours pour voir venir.

—

Devant sa table de cuisine, Antoine demeure immobile, stupéfait par le soin inhabituel qu'il vient d'apporter à sa tenue. Il a ciré ses seules chaussures propres, lavé un jeans encore bien foncé. A repassé lui-même une ancienne chemise de concert noire, assez peu portée pour avoir gardé son lustre.

Le veston gris sombre, trouvé en bon état dans une friperie du Plateau, tombe parfaitement sur lui. Un investissement qu'il a finalement pris au sérieux, faisant le constat lugubre qu'il servirait probablement à nouveau, pour rendre hommage à son père.

Il allait sortir faire cet achat, quelques jours auparavant, quand Suzanne a appelé.

— C'est maintenant. On a une place pour lui en soins palliatifs.

Encore lucide, souffrant cruellement des métastases osseuses et respirant de plus en plus difficilement, le père avait fait une dernière sortie pour entendre la *Passion* de Bach. La course était maintenant ouverte : le foie, les reins, tout lâchait peu à peu, mais c'est peut-être l'asphyxie qui l'emporterait. Il était temps, grandement, que l'homme soit mieux soulagé.

Le soir même Antoine l'a visité.

Apaisé par le confort des lieux, la gentillesse des gens et le dosage habile des médicaments, le père évoque le concert. Il parle des solistes, de la voix de Sarah qui prend de l'ampleur, de l'acoustique. Il commente un concert normal, rien ne laisse deviner qu'il parle du dernier concert de sa vie.

Après un petit silence et deux inspirations lentes, l'homme a soudain pour son fils un regard d'une tendresse inhabituelle.

— Tu te rappelles que je t'appelais « canard » ?

— Oui, mais je ne me souviens pas pourquoi… C'était bien avant le hautbois, me semble.

Antoine pense au thème du canard, dans *Pierre et le loup*, phrase gracieuse confiée à son instrument. Le père rit sans bruit. Il sait que la moindre vibration dans son larynx peut déclencher un étouffement atroce.

— Bien avant, oui : tu étais aux couches ! L'été où tu as appris à marcher, quand il faisait chaud tu ne portais que ça, une grosse couche blanche. Tu avais la silhouette de Donald Duck, un peu dandinante. J'ai continué à t'appeler comme ça, je ne sais pas pourquoi…

Le bref récit l'a épuisé, il se concentre pour que sa respiration pénible ne provoque pas la toux.

Un petit souvenir, un rien. Mais Antoine a toujours cru qu'une grande sécheresse avait détruit tout souvenir anodin de son enfance. Une zone de temps aride, apparue avec sa première crise psychotique et devenue terre brûlée après la mort subite de sa mère, quand il avait dix-neuf ans.

Alors ce petit souvenir, cette image d'un bébé canard apprivoisant la marche, cette image gardée au chaud par le père le bouleverse. Sans dire un mot, il tend son bras gauche vers le bras droit du malade, offert au soluté, et dépose doucement sa main sur la sienne.

Ce soir, dans sa cuisine avec son beau veston, Antoine reproduit le mouvement, déposant son bras gauche sur la table vide. Puis il serre légèrement le poing. L'idée d'aller à une soirée mondaine lui semble absurde, mais son père a lui-même insisté, cet après-midi.

En attendant Sarah, il dépose sur la table la poupée danseuse et son hautbois, réfléchissant à nouveau à la bonne façon de positionner les fils. Il a déjà fait plusieurs essais et commence à peine à en tirer quelque chose. Le fil principal, comme avec le serpent, est attaché à la tête de la poupée de laine.

Il a d'abord pensé qu'un deuxième fil soulèverait les deux bras. Trouvant ce mouvement symétrique un peu ennuyeux, il a plutôt relié le bras droit à la hanche de la poupée. En s'élevant, le bras crée ainsi un joli déhanché, accentué par le contre-mouvement de la jupe légère.

Reste à travailler la manipulation des fils. Si le fil principal, comme avec le serpent, s'enroule autour du pavillon de l'instrument, Antoine teste différentes possibilités pour le second fil. En pleine réflexion, il tient un fil dans la main gauche et l'autre enroulé autour du petit doigt de la main droite quand Sarah arrive, excitée et bavarde. Ignorant le bricolage en cours, elle est surtout impressionnée par l'allure de son ami. Pas certaine de sa tenue à elle, heureuse d'avoir des talons plats pour marcher avec lui jusqu'au magasin d'Agostini, déçue de ne pas avoir prévu le temps nécessaire pour rafraîchir ses ongles.

S'arrête soudain et regarde Antoine :

— Ton père ?...

— Ça va, assez stable pour l'instant. Le confort des soins palliatifs lui a donné un petit regain d'énergie : on nous dit que c'est fréquent. Ça pourrait descendre vite dans les prochains jours.

Son amie s'approche et le serre, vraiment fort, dans ses grands bras vivants.

Ils marchent une quinzaine de minutes. Sarah est à la fois joyeuse et délicate : un don pour faire entrer la lumière par le plus petit interstice disponible.

Dès leur arrivée, Antoine constate l'évidence : Jérôme le salue gentiment, mais sa joie de voir arriver Sarah avec lui l'emporte. Il pose sur elle un regard heureux et intéressé, comme sur un bel instrument. Mais dans ce regard, il y a plus : la vulnérabilité d'un homme qui devient amoureux. Il leur indique le bar installé sur une table, guidant Sarah d'un bras galant.

S'attardant près de l'entrée, Antoine demande poliment à l'adjointe d'Agostini, encore assise à son poste de travail, s'il peut profiter de son passage au magasin pour commander du roseau. La jeune femme répond candidement qu'elle est justement là pour ça. Même un soir de fête, les affaires peuvent rouler, se dit Antoine. Devant sa fiche client apparaissant à l'écran, l'adjointe a un doute sur la marque précise à commander, deux compagnies figurant au dossier. Jetant un regard à l'ordinateur pour choisir le bon nom, Antoine capte alors, dans la section réservée aux notes, en bas de l'écran, une courte phrase de quatre mots : « Hautbois dans le métro. »

Petite mesquinerie, besoin de se rappeler qu'un client est au sous-sol plus qu'au sommet. Il y avait déjà tout cela dans le regard fuyant de Jérôme, l'ignorant à l'entrée du métro Berri. L'adjointe n'a rien vu et s'occupe de la commande.

Après cette découverte, Antoine reste morose une partie de la soirée. Il connaît là bien des gens, mais trouve peu à répondre à la question récurrente : « Qu'est-ce que tu deviens ? »

Il se mêle le moins possible aux conversations tournant autour des anches, centre névrotique de la vie de certains hautboïstes. Deux de ces obsessifs sont en pleine lancée : l'un a découvert une nouvelle technique de grattage aux États-Unis – « jamais eu un si beau grave ! » –, l'autre a fait quelques essais malheureux et s'inquiète à l'approche d'un concert. Antoine les écoute, sans les relancer d'un « moi, je… ». Ses expériences actuelles sont atypiques mais étrangement satisfaisantes ; il aurait de la difficulté à les partager.

Sarah revient à lui régulièrement, consciente de l'effort immense consenti par son ami.

Quelques collègues sympathiques l'ont vu jouer dans le métro et racontent à d'autres le numéro du serpent. Leur enthousiasme animé repousse au second plan la phrase lapidaire notée par Jérôme.

L'arrivée d'Olivier, avec une nouvelle étonnante, fait soudain diversion. Il lâche tout et part travailler comme programmeur à Vancouver. Plusieurs, n'ayant pas réalisé quel degré a atteint sa passion pour l'informatique, découvrent tout en même temps.

Programmeur, mais où ?

Pour une boîte de jeux vidéo.

On s'étonne : il y en a tant à Montréal ! Pourquoi Vancouver ?

Antoine écoute l'histoire, à travers le bruit de la fête qui ajoute à son caractère inouï.

Olivier s'est inscrit sur une plateforme de jeu en ligne, via laquelle certaines entreprises recrutent du talent brut. Relevant les défis un à un, il a progressé d'un cercle à l'autre, démontrant un réel potentiel de développeur. Son profil a été remarqué par cette *start-up* de l'Ouest qui a le vent dans les voiles. Sur son téléphone, il leur montre l'article d'un site spécialisé qui raconte le parcours exceptionnel d'un hautboïste professionnel, autodidacte du numérique. Une photo accompagne le texte : Olivier a son air habituel, sérieux, un peu ennuyé par la facilité de toute chose.

Un collègue constate qu'à l'évidence, en quittant une vie de musicien pigiste pour l'informatique, ses revenus seront au moins triplés d'emblée. Olivier ne contredit pas, mais s'abstient de commenter.

Sarah revient vers eux alors qu'Antoine finit de lire l'article. Il tend le téléphone à l'ancienne copine d'Olivier, qui pousse un cri fébrile en comprenant ce qui se passe. Elle veut s'assurer qu'il va continuer à jouer, au moins un peu.

Olivier veut faire du jazz. Il connaît d'excellents musiciens à Vancouver, ressortira son saxophone, ne s'en fait pas. Pour rien, d'ailleurs. Sarah secoue lentement la tête, avec un sourire énigmatique. En concentré, elle revoit tout de leur brève relation : admiration pour son talent, son intelligence, son physique naturel et solide, et aussi exaspération devant sa placidité, son absence d'éblouissement pour la musique. C'est le prix payé pour toute conquête trop facile.

Vers minuit, sentant que Sarah préfère sans doute ne pas avoir de contraintes pour la suite des choses, Antoine s'éclipse, après avoir remercié Jérôme, qui ne s'éloigne pas beaucoup d'elle.

Il sait déjà qu'il ne parlera pas à son amie de la note aperçue sur l'ordinateur du magasin. Cette blessure est la sienne, Sarah fera ses propres constats.

Au lieu de prendre Sainte-Catherine à droite, vers chez lui, il décide de faire quelques pas à gauche et traverse de biais le parc, où s'attardent des couples de toutes les configurations possibles. Le jour, il oublie vivre dans le Village gai : tout est devenu simple, normal. Les pionniers qui vieillissent dans le quartier sont souvent pauvres, mais ils sont en paix. À cette heure, il sent la signature revendiquée par les visiteurs plus jeunes. Pour eux, s'afficher est un événement, une occasion à souligner.

En atteignant la rue Berri, Antoine aperçoit une des entrées de la station Berri-UQAM. Il reste un peu plus d'une heure avant la fermeture du métro. Il n'y est pas descendu si tard depuis l'époque de ses sorties d'étudiant. Décide de s'offrir une tournée de quelques stations, à la recherche d'un lieu idéal pour son nouveau numéro : il sent que la poupée de laine sera bientôt prête à danser.

Dès qu'il entre dans l'édicule du métro, il l'entend. Une voix de femme puissante et autoritaire, comme si une gargouille de cathédrale se mettait à lancer des prophéties.

Il comprend que la voix vient du bas de l'escalier, amplifiée par la pente du plafond métallisé. En descendant, il aperçoit la femme, appuyée sur le mur, tournée vers le haut pour profiter au maximum de l'acoustique qui donne un relief terrifiant à son invective. C'est le portable de cette femme qui reçoit la charge. Antoine se demande même si quelqu'un est à l'autre bout, si l'interlocuteur comprend quoi que ce soit au flot désordonné, mi-français, mi-créole.

La gardienne de la caverne.

Antoine la contourne prudemment, comme les autres usagers qui passent.

Alors qu'il s'engage dans un couloir, de nouvelles voix fortes s'annoncent. Trois gars, sortant peut-être d'un bar sportif, s'avancent vers lui. En plein concours de testostérone, ils se bousculent joyeusement et gueulent, utilisant eux aussi l'acoustique généreuse. Ils ont le même format trapu et musclé ; pas des culturistes esthètes, des travailleurs bâtis par l'effort et arrondis par la bière.

Antoine a fait demi-tour pour les suivre de loin. Ses amis *Homo sapiens* et leurs cousins néandertaliens se tiennent donc encore dans un réseau de grottes, le soir venu.

En arrivant au centre de la station, alors que les trois gars franchissent les tourniquets, il bifurque à gauche pour explorer une autre branche de la caverne.

Au centre de ce couloir, des travaux en cours créent un recoin placardé de bois peint gris foncé, où dorment quelques itinérants. Un peu de répit avant d'être chassés, à la fermeture du métro. L'un d'eux semble rêver tout haut : les yeux fermés, il marmonne doucement. Des spasmes brusques le soulèvent, ses yeux restent alors ouverts et tendus deux ou trois secondes, puis il sombre à nouveau.

En rebroussant chemin, Antoine revient à une question qui le hante depuis longtemps. L'humain paléolithique avait-il une santé mentale solide ? Les cerveaux primitifs se détraquaient-il parfois, comme les nôtres ?

Une jeune femme hospitalisée en même temps que lui, à dix-sept ans, était certaine d'être en lien avec les forces d'un autre monde, de cheminer vers sa nature de guérisseuse chamanique. Elle était aussi convaincue qu'il lui serait bientôt possible de voler. Pragmatique malgré son état, Antoine refusait l'idée de l'envol, agacé par l'extase de la frêle personne agitée.

Par contre, la piste chamanique l'avait intrigué. Après l'hospitalisation, il avait su fuir plusieurs formes de thérapies miracles, se méfier des récits de bipolaires rejetant la psychiatrie pour embrasser leur destin sacré. Mais il aimait l'hypothèse d'une mince crête révélatoire dans l'épisode maniaque : une brève fenêtre de temps formidablement créative, avant que l'esprit n'éclate sous la force centrifuge de son propre dérèglement. L'idée qu'*Homo sapiens* ait pu faire quelques bonds en avant de cette manière lui est restée.

Mais ce soir, il voit l'étape suivante : l'homme gisant sur le sol de la caverne, terrassé par la désorganisation totale de sa conscience.

Un son rockabilly emmène Antoine vers le troisième couloir d'accès au métro, celui qui vient du terminus d'autobus. Un guitariste chanteur vient de s'installer pour un dernier set. Feutre noir cerclé d'argent sur la tête, chemise à motif paisley gris sur fond blanc, jeans ceinturé, cravate d'un mauve intense. Sa voix métallique et enjouée semble défier l'heure et l'état moyen des passants. En bon rockabilly, il est souriant et a le clin d'œil facile.

Cet œil rond, foncé et brillant ramène subitement Antoine à son père. C'est bien peu, un œil, dans l'ensemble fantaisiste composé par le chanteur, si loin de la sobre esthétique paternelle. Mais il y a dans cet œil intelligent et ouvert une prise sur le monde qui évoque l'âme sur le point de disparaître.

Papa pourrait se réincarner en chanteur rockabilly, se dit Antoine. L'idée a jailli sérieusement, mais il doit retenir un fou rire qui risque de se transformer en sanglot. Il le verra encore vivant demain, on l'en a assuré cet après-midi. Mais il sait que la dose de médicament contre la douleur augmente, effiloche peu à peu la conscience.

Ignorant le dernier couloir, souvent fréquenté avec son hautbois, il revient vers le centre de la station et sort sa carte pour franchir le tourniquet. Sur le quai, tout est calme. On n'est pas encore dans l'urgence du dernier métro. Il y a une routine du soir évidente, des habitués, en uniforme d'entretien, sur le chemin d'un travail de nuit. Une majorité de minorités : contraste avec la fête si blanche, chez Agostini.

Sur la ligne verte, une bonne partie de ces travailleurs nocturnes quittent le métro pour monter vers les grands immeubles du centre-ville.

Antoine descend quelques stations plus loin, lui aussi au travail, à la recherche d'un nouveau décor à faire sonner.

—

Troisième partie

Antoine ouvre les yeux dans le noir.

Demeure parfaitement immobile pour ne pas déranger son père, mais passe, en une fraction de seconde, d'un rêve anodin à une conscience aiguë de ce qui advient : l'homme est mourant.

Le dessin de ses veines et artères signale la retraite : les extrémités sont froides et bleutées. Le corps rassemble ses dernières énergies vers le centre, pour maintenir aussi longtemps que possible les organes vitaux en marche.

Dans la faible lumière d'appoint, celle qui permet à l'infirmière de se glisser discrètement dans la chambre deux fois pendant la nuit, Antoine masse doucement les mains et les pieds du gisant. Il a dû apprivoiser ce soin ; étonné d'abord par sa propre réticence, presque du dégoût, il est maintenant étonné par l'évidence du geste. Son père ne réagit plus de manière claire à quoi que ce soit, mais le simple fait de sentir un peu de chaleur revenir et la peau s'assouplir convainc le masseur du bienfait apporté. Il hydrate ensuite les lèvres du mourant, avec une petite éponge attachée à un bâtonnet. Une solution d'eau et de glycérine, simplement pour le confort de la bouche.

Puis, il se lève et s'étire, regarde l'horloge.

Suzanne sera de retour dans une heure.

Antoine s'approche de la fenêtre qui donne sur le stationnement de l'unité de soins palliatifs et, plus loin, sur la rivière. Les premiers oiseaux se font entendre, dans un rideau de pluie fine.

C'est alors que le thème surgit dans sa tête. Le deuxième mouvement du premier quatuor de Beethoven. Son père ne l'a pourtant pas évoqué, pendant leurs conversations des derniers mois.

Le souvenir qui revient à Antoine est beaucoup plus ancien. L'homme encore jeune est installé dans son fauteuil, les yeux fermés, sans livre, sans verre et sans cigarette, ce qui est rare. Et cette musique joue. L'adolescent entre dans la pièce et l'aperçoit, s'arrêtant pour l'observer et tombant du même coup sous l'emprise de ce long mouvement, qui passe de la tristesse la plus poignante au cri de révolte, avec un long épisode plus clair en chemin.

À la fin du mouvement, le père ouvre les yeux, regarde son fils comme s'il avait senti sa présence depuis longtemps. Lui dit cette chose étrange avec un sourire doux : « Je serais peut-être mort si tu n'étais pas entré dans la pièce… »

Devant les yeux inquiets du jeune garçon, l'homme lève un index sage et ajoute : « … Mais je serais mort de beauté. »

Antoine sent alors ce qu'il doit faire, en ce petit matin d'agonie. Il ouvre le placard et sort son iPod de la poche de sa veste. Cherche l'œuvre, ajuste le son pour que le thème du début, chanté doucement par le premier violon, soit perceptible ; on leur a bien dit que l'audition est le sens qui reste actif le plus longtemps, mais son père ne porte plus ses appareils auditifs.

Il pose doucement les écouteurs au seuil des oreilles de l'homme étendu et observe. Il entend le thème commencer : un filet de son dont il connaît l'intensité concentrée. Aucun signe sur le visage, qui reste surtout occupé par l'effort d'une respiration de plus en plus difficile.

Assis tout près du lit, il tient une main du père, espérant sentir un frémissement. À travers les écouteurs, il suit le déroulement lent de la pièce.

À mi-parcours, les instruments lancent chacun leur tour des fusées ascendantes, comme des appels désespérés. Les yeux d'Antoine coulent, sans qu'il s'en rende vraiment compte.

A-t-il vu la mâchoire se crisper légèrement ? Il se posera souvent la question par la suite. La pièce se termine dans une désolation sublime. Quand le silence a repris sa place, le fils pose, sur le front du père, un léger baiser qui veut sans doute dire « tu peux mourir de beauté ».

En se relevant, il la voit.

Une préposée, entrée discrètement.

Antoine sent qu'elle a assisté à la scène. Signalant l'arrêt et l'attention, ses deux mains sont glissées, immobiles, dans les poches de son survêtement vert pâle. Une couleur affreuse sur bien des gens, mais qui lui va bien. Il a l'étrange impression de connaître cette jeune femme au teint ambré, dont les cheveux frisés sont tirés en un petit chignon compact au sommet de la tête.

Elle garde le silence. La discrétion intelligente des soins palliatifs.

Le fils retire délicatement les écouteurs des oreilles du père et les range, apercevant au passage le prénom «Éliane» sur la petite cocarde de la préposée. Celle-ci s'avance pour s'assurer que rien ne manque autour du mourant. Occupée à plier une serviette, elle demande avec curiosité et douceur :

— C'est une musique qu'il aime ?

— Oui.

— C'était un peu fort, par moments ?

— Peut-être.

Éliane hoche la tête, sans jugement.

Lui dit qu'elle va faire la toilette du malade, qu'il peut attendre au salon des visiteurs, ou rester dans la chambre, s'il préfère.

Sans répondre, Antoine prend un peu de recul en s'assoyant dans le lourd fauteuil du coin de la chambre.

Éliane, comme les autres qu'il a vus faire, parle à son père en le manipulant.

— Je vais vous tourner un peu sur le côté. Voilà ! Maintenant je vais déplacer votre jambe.

Certaines le font avec un ton infantilisant, approche générique pour créer un semblant d'intimité. Pas elle. Elle parle à un frère humain. Au moment où elle termine, Suzanne entre dans la chambre. Encore fatiguée de sa trop courte nuit, mais soulagée de voir son mari toujours vivant.

Antoine fait la bise à sa belle-mère, prend sa veste et s'esquive, pendant que Suzanne échange sur l'état du malade avec la jeune préposée.

Comment terminer une journée de funérailles ?

Après avoir écouté, pleuré et conversé ; mangé les sandwichs, les petits gâteaux et bu le café ; une fois que le cercueil est placé en file d'attente pour la crémation ; maintenant que tout a été fait correctement, il n'y a plus de mode d'emploi.

Ariane veut ramener son frère chez elle : sentant que c'est par réflexe protecteur plus que par désir d'échanger, il lui dit simplement « ça va ». Elle propose alors de le déposer chez lui, mais il préfère rentrer à pied.

Le printemps est froid. Antoine enfile un grand coupe-vent, par-dessus le veston gris qui a de nouveau fait bonne figure. Il redresse son col et sort ses écouteurs.

Hésite, pensant d'abord choisir une musique sans histoire, mais décide plutôt d'écouter la *Symphonie pathétique* de Tchaïkovsky. Pendant quelques années, il a fui cette musique, tant aimée à l'adolescence. La savait toxique, du genre à l'aspirer vers la détresse. Il pense avoir retrouvé la capacité de négocier les chemins qu'elle trace en lui.

Cet après-midi il peut s'abandonner complètement, sachant que la marche l'empêchera de couler. Il traversera un long parc pour atteindre le centre-ville : assez d'espace pour un orchestre et lui.

L'introduction sombre, une esquisse lente du thème, dessinée par le basson sur fond de cordes graves, le ramène instantanément aux premières heures de cette journée. Humeur funèbre et lenteur. Chaque section du long premier mouvement devient alors, sans qu'il le cherche, un concentré des états humains vus et vécus.

Sa sœur Ariane surgit quand le thème principal apparaît dans sa vraie nature : rapide, agité, mais délicat. Des violons nerveux et doux, la flûte ajoutant des pointes de lumière. Ariane, présente partout, efficace, souriant autant que possible, des larmes brillantes fusant régulièrement au détour d'une conversation, repoussées par deux doigts légers.

Un commentaire étonnant de sa sœur lui revient. Côte à côte, devant le montage photo présenté sur un écran, ils regardent leur père à des âges variés et dans des contextes divers.

— Je l'aimais, mais au fond, je sais pas vraiment qui il était. Toi au moins, tu avais la musique en commun avec lui.

Stupéfait, Antoine reste muet. Même pour elle, la petite fée de son père, celle qui a tout réussi sans lui compliquer la vie, l'homme est demeuré un mystère.

Oui, Antoine sait qu'il aimait, comme lui, la *Pathétique* de Tchaïkovsky. Se demande s'il le connaissait mieux qu'Ariane pour autant. Peut-être par des couloirs souterrains que le fils n'a pas encore découverts.

Après une montée éclatante laissée en suspens, le deuxième grand thème apparaît. Plus jeune, Antoine y entendait l'aveu d'un amour aussi torride qu'impossible. Mais le thème a mûri avec lui : cet après-midi, c'est Suzanne qu'il décrit, marquée en profondeur par la fatigue et la perte. La longue phrase liée, jouée par des archets pleins et larges, porte tout l'amour de cette femme, accompli jusqu'au bout, envers et contre la déchéance du corps. Il se dit alors qu'il pourra peut-être, à travers le regard de sa belle-mère, en apprendre encore un peu sur son père. S'étonne aussitôt de ressentir ce désir de rester en contact avec elle.

Survient l'intermède plus léger du mouvement, un duo amoureux lancé par le basson et la flûte. Antoine sourit de la perfection de cette trame sonore. Il revoit Sarah, venue avec Jérôme. Elle confirme ainsi ce qu'Antoine savait : la soirée de fête, à la boutique d'Agostini, a vu le début d'une histoire qui semble sérieuse. Au salon funéraire, Jérôme est parfait, présent et chaleureux, sans en faire trop. Mais un certain appui du regard sur son veston montre qu'il a bien saisi que c'est là une pièce unique dans le répertoire vestimentaire de ce client atypique. Antoine se dit que la mention « Un seul veston » sera peut-être ajoutée à sa fiche client, puis laisse filer l'impression désagréable. Ce sont les yeux de Sarah qui comptent, et ils sont heureux.

Fin de l'intermède.

Suzanne refait une apparition. La maturité sensible du thème remplit soudain Antoine de gratitude. Il lui aura fallu la fin de vie de son père pour comprendre la profondeur de l'amour vécu par ces deux-là. Les regards qu'ils ont eus l'un pour l'autre, même quand la conscience du père commençait à se dissoudre, leurs mains liées.

Alors que le thème s'apaise, il revoit sa belle-mère près du cercueil, pleine d'une tristesse calme, échangeant avec une jeune femme aux cheveux crépus. C'est seulement maintenant qu'il fait le lien : une préposée aux soins palliatifs, croisée au petit matin, la veille du décès.

La dernière fois qu'il a vu son père vivant.

La présence de cette fille reste comme une énigme, alors que la musique marque une longue pause.

Soudain, précisément là, à mi-chemin du mouvement, tout chavire.

Antoine sent qu'il va devoir se battre. Le thème rapide est maintenant attaqué à pleines dents par les cordes, les bois se précipitent, affolés, puis c'est la charge des cuivres qui aboient. Une rage. Loin de ces femmes fortes apparues tour à tour, il se sent soudain parfaitement seul.

Dans une clairière dégagée du parc, il marche contre le vent qui avale ses larmes, encaissant les salves de l'orchestre.

La musique, d'un seul coup, n'accepte plus la laideur de la mort, la crie, hurle l'échec. L'échec est le sien : comment le père a-t-il pu partir en paix, devant un fils si peu abouti ?

Il y a, dans le corps d'Antoine, une empreinte de la dépression, du dégoût de soi et de l'existence. Pendant quelques minutes, la porte s'ouvre, et il contemple cette zone abîmée, se demandant s'il pourra rester sur la berge.

Mais Tchaïkovsky, après une nouvelle pause, trouve le moyen d'organiser peu à peu ce chaos de souffrance, et

Antoine accepte de s'abandonner, comme sous hypnose, au chemin tracé par la musique.

Le grand thème d'amour revient, plus fort de la tempête traversée.

Ça s'appelle une résolution, comme pour un conflit.

Antoine sait qu'il ne peut que se résoudre lui-même, comme une pièce musicale résout ses tensions harmoniques et marche vers son point final.

Sait aussi que la paix ne sera ni béate ni transparente : la résolution portera la charge de tout ce qui a été.

« Tu pourrais devenir musicothérapeute. »

La phrase de sa tante revient encore régulièrement à son esprit, quelques semaines après les funérailles. La sœur de son père a fait une équation simple : Antoine, musicien ayant connu « des enjeux de santé mentale » – ce sont ses mots, prononcés du bout des lèvres –, devrait forcément comprendre les principes de la musicothérapie.

L'opinion de tout un chacun sur ce qu'il devrait faire l'agace depuis longtemps. Ce qu'il entend, c'est « tu devrais vouloir », alors que « vouloir » ne semble pas à sa portée.

Il a néanmoins une curiosité. Il sait parfaitement ce que la musique lui apporte en émotions, en stimulation, en apaisement. Mais peut-on distribuer ce pouvoir comme une prescription à autrui ?

Parfois, dans le métro, quelqu'un s'arrête plus longtemps pendant qu'il joue. Antoine sent alors que cette personne vit quelque chose de nouveau. Le temps d'une pièce, cet auditeur devient unique, même si d'autres passent autour. La musique change de niveau : plus rien de machinal, un désir presque animal de faire du bien. La plupart du temps, l'échange qui suit est pourtant assez banal… La rareté de l'instrument, l'anche, cette drôle de petite chose toute mince qu'il doit pincer dans sa bouche. Mais il y a des exceptions.

Ce matin, une femme dans la cinquantaine, arrêtée discrètement à l'écart. Antoine l'a repérée après quelques minutes, simplement comme un point demeuré fixe dans son champ visuel. Il a alors joué pour elle, le premier mouvement de la *Partita* pour flûte seule de Bach.

Les arpèges en *la* mineur sont aériens et poignants : *L'insoutenable légèreté de l'être.* Geneviève lui avait fait lire le roman de Kundera à dix-sept ans, et depuis, il prête le titre sublime à certaines pièces de Bach, dont le prélude de la première suite pour violoncelle, le premier prélude du *Clavier bien tempéré*, certains mouvements des *Partitas* pour violon, et ce mouvement pour flûte qu'il joue depuis longtemps au hautbois.

Toujours un instrument seul, un motif en mouvement continu, à la fois répétitif et constamment transformé. Une pensée vue sous plusieurs éclairages ; quelque chose de vif et d'infiniment grave en même temps.

À la fin du mouvement, la femme est toujours là, seule. Elle s'approche un peu, mais hésite. Antoine sait qu'il doit aussi faire quelques pas.

En larmes, elle sourit.

— Excusez-moi... c'est le son... C'est tellement troublant... Je... je viens de perdre ma mère et j'ai eu l'impression de la retrouver. C'était une personne... tellement vivante, mais... compliquée.

La femme semble soudain mal à l'aise.

— Excusez-moi... je vous embête.

Antoine fait signe que non. Il sait qu'il pourrait dire «je viens de perdre mon père», mais ne le fait pas.

La femme le remercie, ajoute simplement que ça fait du bien, et part.

Elle n'a pas laissé d'argent, heureusement.

Resté seul et songeur, Antoine range son hautbois.

En apercevant Jean-Louis près de la sortie du métro, il se dirige vers lui. Jean-Louis est bénévole pour le Café Compassion et installe sa table pliante tous les mardis à la sortie du métro Berri. Un gros thermos de café et des biscuits sont là pour tous : le travailleur sortant du boulot autant que le retraité désœuvré ou l'itinérant. Souvent, le travailleur décline poliment d'un geste de la main, mais un groupe d'habitués profite du rendez-vous hebdomadaire pour se retrouver, sur un élargissement du trottoir.

Jean-Louis vient de terminer ses deux heures de service, sous un soleil très chaud de la fin mai. Le printemps a été tardif, mais la température a soudainement doublé en quelques jours. Le bénévole est assis à l'ombre, sur une structure de bois rugueux qui protège la base d'un arbre, à l'entrée du parc Émilie-Gamelin.

Casquette, barbe et cheveux assez longs, une bataille de droites et de courbes en gris. Propre, très propre. Un teint frais mais pas jeune, le nez légèrement aquilin. Il a l'air fatigué par la chaleur, mais se redresse avec disponibilité dès qu'Antoine s'approche.

— Salut jeune homme, on s'est pas vus depuis longtemps ! Comment ça va ?

— Pas mal, et toi ?

— Ça va, ça va… mais j'ai encore mon sang d'hiver : trop épais pour cette chaleur-là. Ça circule pas bien. Quoi de neuf ?

Antoine raconte sobrement la fin de vie de son père. Jean-Louis hoche la tête en silence.

— Tu vas passer à travers, jeune homme.

Le café gratuit du mardi a été un repère pour Antoine pendant quelques semaines, après l'hôpital. Il parlait peu, pensait être là surtout pour sauver deux ou trois dollars. Jean-Louis le servait sans rien demander. Antoine disait merci, restait là. Quelques mots échangés, parfois. Des petits morceaux de vie en reconstruction.

— Dis-moi Jean-Louis, écoutes-tu de la musique ?

Oui, chez lui Jean-Louis écoute des disques. Du folk, ascendant country parfois.

A-t-il un téléphone sur lequel télécharger tout ça ?

Non, il a un téléphone à pitons. Et tout de suite, sans embarras :

— Les téléphones compliqués, ça marche pas pour moi : je suis analphabète !

Puis, avec fierté :

— Mais j'ai travaillé toute ma vie ! Dans une charcuterie.

C'est la première fois que Jean-Louis parle de lui. Comme s'il fallait la fin d'un *shift* pour avoir ce droit. Depuis un an, à la retraite, il est bénévole pour le café et joue souvent aux quilles.

Antoine se dit que Jean-Louis est un futé. Faut l'être, drôlement, pour faire partie du monde autant que lui, en étant écarté de tout ce qui est écrit.

L'homme écoute avec intensité, il retient. On dirait que chaque information captée a trouvé une utilité pour lui et donc, une case dans son cerveau bien organisé.

Comme les outils dans mon appartement, se dit Antoine.

La mémoire de l'analphabète est peut-être mieux organisée que celle de qui sait pouvoir relire l'information qui passe.

Antoine lui demande s'il a déjà joué d'un instrument.

Jamais eu d'instruments autour de lui, à part l'harmonica de sa mère. C'est elle qui lui a fait aimer pour toujours la voix de Paul Brunelle. Au parc, il a déjà vu une kora : il décrit habilement l'instrument africain comme une harpe toujours joyeuse, avec des notes bien claires en bas et plein de grappes de sons qui déboulent.

La musique classique, en écoute-t-il ?

Pas vraiment. Mais Jean-Louis est allé une fois aux Concerts populaires, à l'aréna Maurice-Richard, dans les années 80. L'OSM, Charles Dutoit, c'était pas juste pour les snobs, précise-t-il avec assurance.

Forte impression :

— C'est puissant. Puis des fois, tu peux entendre chaque instrument, le trombone, le basson.

Encore là, des mots précis, des instruments assez rares. Jean-Louis est vraiment un futé.

Antoine sort son iPod. En repensant au répertoire de l'OSM à l'époque de Dutoit, il lui propose d'écouter la *Danse des chevaliers* de Prokofiev. La pièce la plus connue du ballet *Roméo et Juliette* a quelque chose de robuste et grandiose.

Oui, ça ressemblait à ça!

Jean-Louis regarde loin. Son visage est mobilisé, ses épaules marquent les accents les plus forts.

Sentant qu'il aime l'orchestre, Antoine lui fait aussi entendre une valse de Strauss. Cette fois, l'œil est allumé par un souvenir.

— On entendait ça, le dimanche sur la patinoire, quand j'étais petit... Ils s'en servent, des fois, pour le patinage artistique.

Écoute en entier, attentivement. Énergie bien bâtie: accélération graduelle, apothéose explosive, Jean-Louis apprécie.

À la fin, un verdict.

— C'est bon!

Il reste pensif.

Antoine lui demande soudain, sans charger la question, pourquoi il n'a pas appris à lire.

— J'étais un petit tannant. Maintenant, ils savent quoi faire avec les affaires de déficit d'attention. Mais moi, je redoublais, pis ça marchait pas plus.

— Déficit d'attention? Ben voyons, Jean-Louis, t'es capable de rester concentré sur la musique!

— Ah, ça, c'est la volonté. Ma mère disait toujours : « Qui veut, peut. »

— T'es chanceux : j'ai de la misère avec ça, la volonté. Les gens que vous aidez, avec le Café Compassion, penses-tu qu'ils sont capables de « vouloir » s'en sortir ?

— Pas toujours. Des fois, c'est la toxicomanie. C'est triste. Souvent, y'a d'autres affaires aussi, y'a des victimes d'inceste, comme Francine par exemple : tu le sais, elle arrête pas d'en parler. Puis, y'a les itinérants.

Jean-Louis prononce « incex » et « intinérants » : Antoine se dit que l'analphabète brillant a classé l'inceste dans la catégorie du mauvais sexe, et l'itinérance avec l'indignité et l'indifférence.

— La musique, ça te fait du bien ?

— Ah oui ! Je rentre chez moi, pis j'écoute mes disques. Emmylou Harris… La voix de cette femme-là, c'est le paradis ! J'ai tous ses disques, elle peut tout faire. Puis Paul Brunelle… une voix, lui aussi…

— Toi qui aimes les voix… Veux-tu que je t'en fasse écouter une ?

Antoine a sur son iPod l'enregistrement d'un concert de Sarah : il pense à un air de Handel particulièrement touchant.

D'abord un signe de tête, un tout petit non, puis la main se lève, doucement, sans rigidité mais bien claire :

— Non, je pense que c'est assez, merci beaucoup.

Antoine sent qu'avec la voix, il s'avançait en terrain trop intime. Emmylou et Paul occupent ce territoire et sont là pour rester. La présence vraie est comme ça : elle sait nommer ses limites. Il se lève sans un mot. Jean-Louis dresse une main amicale, qu'il tape avant de s'éloigner.

En marchant, il se rappelle une expression que Leila employait, quand il lui massait les épaules et le tour des omoplates, étirant doucement les zones tendues par les longues heures de travail : « Ça fait du bien : on dirait que tu fais de l'ostéopathie aléatoire ! »

Il se dit que la musicothérapie aléatoire existe certainement.

Antoine est prêt : la danseuse de laine va entrer en scène.

Il s'est attaché à son regard de feutre noir, à la fois neutre et direct, à sa présence souple, beaucoup moins glaçante que celle du serpent.

Pour qu'elle fasse contrepoids dans la descente, comme celle du reptile de caoutchouc, la tête de la poupée a été lestée. Il a dû écarter doucement la laine sous les cheveux, pour incruster un plomb de pêche dans le styromousse. Après l'opération, comme pour s'excuser il lui a dit : « On a la matière grise qu'on peut. »

En rattachant le fil de nylon sur sa tête, il a ajouté : « Au moins, avec le plomb de pêche et le fil de pêche, tu vas avoir de la suite dans les idées. »

Il a bien ajusté le deuxième fil et travaillé de nombreuses fois le numéro chez lui, installant deux paires d'œillets métalliques au plafond pour s'exercer.

Les deux fils ont chacun leur circuit, passant côte à côte dans des œillets distincts. Le premier, celui qui part de la tête de la poupée, se dirige vers le bas de l'instrument où il s'enroulera. L'autre fil, celui qui soulève la hanche et le bras droit de la danseuse, est attaché au petit doigt de la main gauche du hautboïste. Ici, pas d'enroulement : la tension est déjà bien établie. Le mouvement naturel du petit doigt, qui sautille sur quatre clés différentes, placées tout près l'une de l'autre le long du corps de l'instrument, suffit à animer la poupée.

Parfois, sur un son long qui libère le petit doigt, Antoine ajoute un mouvement plus prononcé de celui-ci: le déhanché est alors plus marqué et soutenu.

Avec le serpent, il avait une marge ouverte à l'improvisation. Cette fois, il a dû chorégraphier précisément, apprendre quand utiliser la montée verticale et comment doser les mouvements du bras de la poupée.

Il a choisi la station Jean-Talon, à la croisée de deux lignes importantes. A repéré une lyre bien placée: juste devant, une grande structure métallique affichant les directions a rendu l'installation des œillets facile et discrète. Beaucoup de gens montent et descendent pour passer d'une ligne à l'autre, même si Antoine a évité l'heure de pointe pour son premier essai.

Il a donné rendez-vous à Sarah; un œil extérieur pourra l'aider à peaufiner quelques détails. Alors qu'il amorce l'introduction, elle arrive du quai inférieur, comme si le son du hautbois l'avait fait monter de terre. La remarquable rousse se fait discrète, s'appuie sur un mur d'où elle verra à la fois le numéro et la réaction des passants.

La trame musicale s'ouvre sur le *Prélude à l'après-midi d'un faune*, dont Antoine a transformé toute la première partie en solo de hautbois, empruntant les lignes mélodiques les plus éloquentes à divers instruments, les cousant habilement entre elles pour en tirer une fantaisie expressive qui fait émerger la danseuse, d'abord cachée dans le panier comme le serpent l'était avant elle. Elle monte lentement puis redescend, comme prise de torpeur, déposant sa tête doucement sur le sol, ce qui demande à Antoine de dérouler le fil au maximum, et même de dresser le pavillon de son instrument vers le haut. Par vagues successives, la poupée devenue marionnette va réussir à se stabiliser en position verticale.

Sarah, ravie par cette introduction, lève un pouce appréciatif que son ami aperçoit du coin de l'œil.

Du thème principal du *Faune*, le hautboïste glisse ensuite vers l'imploration de Dalila à Samson, qui débute sur la même note: «Ah! Réponds à ma tendresse.» Le motif de départ est presque le même, une descente sinueuse sur quelques notes, partant du *do* dièse. Antoine s'offre la suite de l'air, le plus célèbre de l'opéra de Saint-Saëns. Un mouvement circulaire insistant et sensuel du hautbois mène la poupée en lévitation aussi haut que la tête du musicien. Sarah est médusée, d'abord par le jeu absolument glorieux de son ami, puis par l'élévation de la danseuse, dont la jupe flamboyante et ultra légère flotte dans le courant d'air du métro.

La marionnette redescend ensuite pour attaquer près du sol la *Bacchanale* du même opéra. Le solo d'introduction du hautbois est joué tel quel, suivi d'un montage des thèmes principaux, en une accélération bien calibrée qui rend, peu à peu, la poupée frénétique. Une dernière partie inspirée de *Shéhérazade* va la ramener au calme puis, éventuellement, au sommeil.

Totalement concentré sur sa double tâche de musicien et de marionnettiste, Antoine a tout juste senti une présence autour de lui, sans percevoir le niveau d'attention. Dès la fin du numéro, cinq ou six personnes applaudissent spontanément et laissent, en souriant, de l'argent dans le chapeau qui contient déjà plusieurs pièces et billets.

Sarah s'approche de lui avec un air étonnamment grave, presque ému.

Lui dit simplement:

— C'est très beau.

— Les gens regardaient?

— Personne n'est passé tout droit. À l'heure de pointe, tu vas créer un embouteillage! Ton répertoire est formidable: Dalila après le *Faune* de Debussy, j'y aurais jamais pensé, mais ça marche complètement!

Elle doit filer enseigner et lui fait, rapidement, de toutes petites recommandations. Ajustement de l'angle dans lequel il joue, de la position du chapeau: à peine un peu plus loin, pour créer devant la danseuse une zone dégagée qui améliore la visibilité.

Antoine la retient encore un peu.

— Avec Jérôme, ça va toujours?

Sarah a de nouveau un air à la fois ému et posé, hors de son registre souvent exubérant:

— Je l'ai présenté à ma famille. Tu sais combien c'est rare pour moi.

Antoine se souvient que même Olivier n'avait pas franchi cette étape.

— J'ai un peu la chienne... C'était facile, dans le fond, de toujours me tromper, de me retrouver dans des histoires pas possibles. Là, j'ai peur de faire une gaffe et de rater une belle histoire, une histoire qui pourrait marcher.

— T'as qu'à faire attention... sans trop en faire.

Sarah sourit.

— Donc, pas trop m'en faire, et pas en faire trop?

— Quelque chose comme ça... Tu repars bientôt?

— Un opéra en France, après je reste au Québec pour le mois de juillet, surtout des vacances. On a loué un chalet dans Lanaudière, je chante au Festival avec l'Orchestre Métropolitain, ça sera génial d'être tout près. Tu viendras nous voir?

Antoine hoche la tête. Il pourrait aller au concert, oui. Il aime beaucoup l'Amphithéâtre, avec les arbres autour.

Elle lui gardera la chambre d'amis, ce soir-là et le lendemain aussi.

— Merci d'être venue. C'était bien que tu sois là.

— Je serai toujours là.

Elle lui fait la bise et s'envole. Toujours là.

Le vent est assez fort pour chasser les insectes de juin, assez chaud pour qu'on le goûte sur la peau.

Assis à table, le regard levé vers le ciel, Antoine est seul sur la galerie du chalet de sa sœur, dans les Laurentides. Trois sapins allongés balancent leur cime au-dessus de sa tête, conciliabule mouvant autour d'une petite trouée de ciel.

Ariane est partie courir, en colère contre lui.

Il ramène ses yeux sur la table. Il y a les restes du déjeuner, et aussi, posé sous une tasse qui l'empêche de s'envoler, un chèque.

Il compte à nouveau tous ces zéros inconnus qui suivent le cinq.

Cinquante mille dollars.

Devant cette somme qu'il trouve astronomique, il s'explique mal comment Ariane peut estimer que le père laisse finalement «assez peu d'argent, étant donné la carrière qu'il a eue».

Elle lui a tout expliqué: placements mal avisés, beaucoup de pertes lors de la dernière crise. Depuis, la crainte et la prudence l'ont emporté, et ce qui restait n'a pas profité. Elle s'occupe encore du bilan, mais a déjà pu encaisser la prime de l'assurance vie.

Elle était si heureuse, la petite sœur devenue grande, sérieuse et dévouée liquidatrice de la succession de leur père. Si heureuse de lui apporter rapidement ce chèque. Elle trouvait plus difficile de lui expliquer que le père, outre l'assurance, a prévu une modeste rente pour lui.

Un tiers de ses avoirs pour Suzanne, et un tiers à chacun des enfants. Mais si Suzanne et Ariane toucheront la somme d'un seul coup, le fils recevra des versements mensuels, jusqu'à soixante-cinq ans. Pour le protéger, sans doute.

Inutilement, de toute évidence : Ariane sait bien qu'Antoine, même en phase maniaque, n'a jamais été un brûleur d'argent. Mais voilà, elle doit se plier aux volontés du testament.

Contre toute attente, l'idée de la rente plaît à Antoine (assez pour payer la moitié de son loyer), et le gros chèque lui déplaît. Surtout depuis la phrase d'Ariane, enthousiaste et maladroite.

— Tu vas enfin pouvoir faire quelque chose !

— Je fais des choses, Ariane : je fais ce que je veux.

— Je sais, bien sûr ! Mais bon, tu pourrais acheter un condo, par exemple.

— Pourquoi ?

— Voyons, Antoine, tu vas quand même pas rester dans un trois-pièces toute ta vie : ça va bien depuis un an, tu pourrais penser à t'installer !

— C'est pas parce que je vais bien que je dois vivre comme toi : ton mode de vie ne garantit pas le bonheur.

— T'es chien.

Ariane s'est levée d'un bond, à grand fracas de chaise et de plancher de bois.

Elle a troqué son jeans pour un short et claqué la porte.

Oui, c'était chien. Ariane a eu une année difficile, s'est séparée d'un conjoint de longue date et se tape maintenant la paperasse de la succession.

Antoine regarde l'eau du lac qui brille, léchée par le soleil du matin. Il a envie de plonger, sachant bien qu'elle sera glaciale. Il commence par vider la table du déjeuner, déjà repérée, malgré le vent, par les mouches les plus tenaces.

En entrant il voit, de manière fugitive, la vieille cuisine avec les yeux d'Ariane : les portes crochies, en planches embouvetées à gros nœuds foncés, les pentures néo-médiévales noires, en fer forgé rugueux. Le vinyle bas de gamme du plancher, déchiré par endroits. Ariane se réjouit de pouvoir enfin la rénover.

À l'instant, il comprend.

Ça la rendra heureuse, c'est tout ce qui compte.

Pour se réchauffer avant d'affronter l'eau froide, Antoine passe ensuite la tondeuse mécanique sur le seul morceau de terrain domestiqué autour du chalet. La vieille machine va mal. Antoine veut ajuster le rouleau à lames, mais se retrouve devant des boulons grippés par la rouille. En fouillant, il trouve un solvant. La tondeuse attendra, les roues en l'air, que le produit fasse effet. Son immobilité près de l'engin a attiré une nouvelle cohorte de mouches noires, plus grosses et plus hardies que les premières de la saison.

Il sait que l'eau du lac va les chasser et soulager sa peau.

Le choc est fort, mais le lac n'est plus assez froid pour garder une poigne douloureuse sur le corps : on s'y acclimate assez vite.

Les yeux au ras de l'eau, il se revoit au même endroit en février, les pieds sur la neige durcie. Porté par la glace épaisse, il avançait courbé contre le vent dominant balayant le lac. Aujourd'hui, le plaisir de flotter en apesanteur se paye par la résistance qu'offre l'eau quand il nage : s'imprimer dans un élément, que ce soit l'air ou l'eau, le rend vivant.

Décor aussi beau en été qu'en hiver, toujours miraculeusement transformé en quelques mois. Différence encore plus marquée cette année : l'homme qui marchait sur la glace avait un père bien vivant, celui qui flotte est orphelin.

Il nage jusqu'à une petite île au bout de la courte baie. Dès qu'il se retourne, il voit Ariane, déjà à l'eau, avancer vers lui à la brasse. Même de loin, il remarque que son visage n'est plus marqué par la colère. En s'approchant, elle lance soudain :

— Fais la baleine, comme maman !

Antoine met de l'eau dans sa bouche et la pousse entre ses dents, en utilisant le souffle et la langue. Il a la même dentition que sa mère et produit le même jet, mince mais bien arqué. Pour la première fois, il se dit que la mère aurait sans doute pu, elle aussi, jouer du hautbois assez naturellement.

Il plonge avec un mouvement de cétacé, arquant le dos et redressant ses jambes collées à la dernière seconde. En remontant, il pousse un nouveau jet d'eau, tout près de sa sœur.

Ariane rit. Elle n'a jamais réussi mais se venge en disant, depuis toujours, que cette baleine est la plus minable de son espèce. Ce matin, elle ajoute que l'animal est certainement anorexique pour recracher si peu d'eau. Antoine bat des nageoires et l'arrose copieusement. Ils nagent côte à côte jusqu'au quai, contournant les premiers nénuphars.

En se séchant, il dit simplement à sa sœur :

— Merci de t'occuper de tout ça, le notaire, le comptable, la banque… Une chance que t'es là.

Ariane hoche la tête. Elle accepte la paix.

Son frère ajoute, sur un ton égal :

— Quand tu vas démonter ta cuisine pour la remplacer, je vais l'apporter chez moi.

Ils éclatent de rire tous les deux.

Très tôt, Antoine est assis à table, une petite lampe de bureau allumée devant lui.

Il peaufine le grattage d'une nouvelle anche. Les notes aiguës de l'air de Dalila sont exigeantes : il cherche encore le bon équilibre, au quart de millimètre près dans l'épaisseur du roseau. Gratte légèrement le bout, soignant parfaitement l'angle du couteau pour préserver le centre de l'anche, qui doit rester un peu plus fort. Minuscule territoire, délimité et affiné sur une surface équivalant au quart d'un bâton à café.

Territoire infini quand l'oreille y cherche de subtiles nuances qui, additionnées, créent le son d'un hautboïste.

Antoine regarde son travail sur le roseau en transparence, tenant le tube devant la lampe. La base est bien nette, avec ses deux fenêtres grattées de chaque côté de l'épine centrale. Au cœur de l'anche, le roseau demeure un peu plus épais ; la vibration doit s'y déposer, comme une vague sur le sable, c'est le secret de la rondeur du son. Au-delà de ce plateau central, le bout est si mince que la lumière y crée une auréole.

Je tiens une petite flamme, se dit Antoine.

Un matériau si léger et si complexe, qui parle et répond.

Un travail d'artisan qui l'apaise et l'intéresse, alors qu'il n'était devenu que stress et souffrance à la fin de ses études.

Il joue encore quelques sons. Toujours la même routine mélodique, pour capter les infimes changements. Quelques notes répétées, puis une glissade chromatique descendante, suivie d'un long arpège qui monte. Ce matin, il pousse un peu plus fort dans l'aigu, pour tester la stabilité des notes hautes et longues.

Satisfait pour l'instant, Antoine place les anches dans leur boîte et l'instrument dans son étui de transport.

Il prend la poupée de laine d'une main sous la tête et la regarde.

— Tu viens ? On va travailler !

Le corps inerte et léger suit le mouvement, flottant dans l'air jusqu'au panier duquel il émergera.

Ce matin, le musicien sera heureux de retrouver la fraîcheur du métro : la chaleur descend à grande vitesse sur la ville.

Très tôt, une jeune femme ouvre les rideaux et jette un coup d'œil sur le ciel de Villeray.

Rentrée tard la veille, après un quart de travail particulièrement éprouvant, elle tient tout de même à se rendre à une classe de danse.

Un projet de création en vue lui donne le courage de s'entraîner, tout en gagnant sa vie en parallèle. Invitation d'un collectif autogéré : elle ne sait pas encore de quoi sera nourrie sa chorégraphie, reste à l'affût, l'esprit aiguisé comme un crayon au-dessus d'une page blanche.

Enthousiasme et désir absolu de danser, comme palliatifs aux maigres ressources.

Une douche, un fruit, une tartine de beurre d'arachide et un thé.

Puis, une gamelle pour le petit chat qui s'éveille à son tour et frôle ses jambes.

Elle étire ses longs bras musclés, rassemble ses cheveux, enfile une camisole et une jupe, attrape son sac de danse et part vers le métro, à quelques centaines de mètres de son petit appartement.

Antoine présente son numéro environ trois fois par semaine, souvent à la station Jean-Talon. En été, l'animation se prolonge en avant-midi : après les travailleurs, ce sont les vacanciers qui se déplacent vers le centre-ville, ou les acheteurs du marché public, tout près, qui repartent les bras chargés de fleurs, d'asperges et de fraises.

Antoine s'installe à huit heures trente et reste souvent jusque vers dix heures, présentant trois fois le numéro de la poupée et jouant aussi quelques pièces en solo.

Ce matin, il amorce son numéro sans public, ce qu'il ne déteste pas. Il joue alors pour lui-même et prend un peu plus de temps à faire surgir la danseuse de laine. Bien absorbé par les lignes de Debussy, il ne perçoit que vaguement l'affluence autour de lui.

Alors que la poupée s'élève, pendant l'air de Dalila, une chose étrange se produit. Dans l'espace libéré devant lui par la montée de la marionnette, il a l'impression d'un dédoublement. La danseuse est encore là, les deux pieds au sol, mais à taille humaine. Rapidement, il comprend l'illusion : une jeune femme s'est arrêtée devant lui, vêtue d'une jupe colorée et d'une camisole noire toute simple, exactement comme la poupée.

Antoine reste concentré sur son numéro, mais remarque tout de même que les pieds de la spectatrice commencent à bouger pendant la *Bacchanale*, en miroir avec ceux de la marionnette. Des trépignements légers et précis, gardés en bride pour ne pas détourner l'attention vers elle.

Quand la marionnette se calme, son double redevient immobile, totalement fasciné. Antoine aperçoit les cheveux bouclés, le teint café au lait, croise les yeux noirs, et la reconnaît enfin en jouant les dernières notes.

Elle reste un peu en retrait pendant que quelques spectateurs le félicitent.

Il sait qu'elle ne partira pas. Qu'ils se parleront.

Prend tout de même le temps de répondre aux questions, tout en rangeant son anche.

Quand elle approche enfin, ils sont seuls.

— Je suis passée aux funérailles de ton père.

— Je sais, merci… Éliane, je pense?

— Oui, t'as une bonne mémoire.

— Tu fais souvent ça?

— Quoi?

— Assister aux funérailles des gens qui meurent aux soins palliatifs?

— Parfois. J'ai bien aimé ta belle-mère. J'étais avec elle quand il est mort. J'essaie de comprendre comment les gens vivent la mort.

— Vivre la mort…

— Oui, c'est bizarre. Mais ça m'intéresse. C'était très bien, le service, la musique, ce que ta sœur a dit.

Antoine hoche la tête.

— Tu aimes la danse?

— Je suis danseuse.

—… Et préposée aux bénéficiaires?

— Ouais. La danse contemporaine, c'est la misère. Toi, par exemple, tu la payes combien, ta danseuse?

Antoine rit.

— Elle te ressemble.

— Je sais! J'ai vu ça avant même de te reconnaître. D'où elle vient?

— Une brocante, dans l'est. Ma mère fabriquait des poupées de laine, j'avais appris à en faire, j'aimais ça.

— Elle était habillée comme ça, quand tu l'as achetée?

— Oui! On dirait tes vêtements, en miniature.

— J'aimerais bien danser avec elle, on ferait un beau duo.

— Tu trépignais…

— Je me retenais, je te jure!

— En fait, tes pieds remplaçaient parfaitement les percussions qui manquent, dans la *Bacchanale*; un hautbois pour résumer un orchestre, c'est pas beaucoup…

— Mais c'est beau, le son du hautbois. Inspirant. Ça rappelle un peu les charmeurs de serpents, ton numéro.

— J'ai commencé avec un serpent en caoutchouc. Ça marchait très bien.

— Les mouvements sont beaux, quand tu joues.

— C'est pour faire tourner le fil. Au début, j'essayais de le faire le plus discrètement possible, mais finalement, vaut mieux laisser bouger tout le corps : on oublie plus facilement les fils.

— Tu bouges bien.

— Mon ancien professeur serait choqué... Il nous interdisait de déplacer les pieds ou de plier les genoux en jouant. Vieille école.

— J'ai arrêté le ballet classique à cause d'une vieille prof russe : toujours de l'interdit ou de l'obligatoire. Pas léger. La danse contemporaine, c'est libérateur.

— Le métro aussi, c'est assez libérateur, comme scène.

En parlant, Antoine a retiré avec précaution les fils de nylon, les a roulés et rangés, tout comme son hautbois.

— Tu vas rejouer, plus tard ?

— Peut-être, mais pas maintenant.

— Tu veux prendre un café ?

— Oui, bien sûr.

Une représentation, une seule ce matin.

Il veut rester avec Éliane, il veut continuer de parler avec elle, c'est si facile. Il voudrait jouer avec elle, la voir danser sur sa musique, et s'étonne de vouloir tout cela, si clairement.

Il n'ose pas encore le penser, mais il veut aussi toucher sa peau si jolie.

On lui a souvent dit, plus jeune : « Tu as la vie devant toi. » Appel à la patience lancé à l'adolescent pressé de vivre, évocation d'une perspective longue et vague, où l'on pourra se perdre mille fois. Mais ce matin, l'espace et le temps ne font qu'un.

Il sait qu'il a la vie devant lui : elle porte une jupe dansante, et il faut la suivre.

Œuvres musicales citées
(par ordre d'apparition)

BARTOK, Béla. *Mikrokosmos*, livre 5, 1940.

BACH, Jean-Sébastien. *Passion selon saint Jean* BWV 245, chœur d'ouverture : *Herr, unser Herrscher*, 1724.

BACH, Jean-Sébastien. Concerto pour violon et hautbois en *do* mineur BWV 1060r.

BOULEZ, Pierre. *le Marteau sans maître*, pour voix et six instruments, 1954.

BRAHMS, Johannes. Sonate pour violon et piano opus 78 n° 1 en *sol* majeur, 1er mouvement : *Vivace ma non troppo*, 1879.

DEBUSSY, Claude. *Prélude à l'après-midi d'un faune*, 1894.

STRAVINSKY, Igor. *Le Sacre du printemps*, 1913.

BRITTEN, Benjamin. *Six métamorphoses d'après Ovide* opus 49, 1951.

MOZART, Wolfgang Amadeus. *Cosi fan tutte*, opéra en deux actes K 588, 1790.

TCHAÏKOVSKY, Piotr Ilitch. *Le lac des cygnes*, acte 2 n° 10 : *scène*, 1877.

PASCULLI, Antonio. Concerto sur des thèmes de *la Favorite* de Donizetti, circa 1879.

MOZART, Wolfgang Amadeus. Concerto pour hautbois en *do* majeur K 314, 1777.

PROKOFIEV, Sergueï. *Pierre et le loup*, conte musical, 1936.

BEETHOVEN, Ludwig van. Quatuor opus 18 n° 1, 2ᵉ mouvement : *Adagio affettuoso ed appassionato*, 1801.

TCHAÏKOVSKY, Piotr Ilitch. Symphonie n° 6 en *si* mineur, opus 74, « Pathétique », 1ᵉʳ mouvement : *Adagio-Allegro non troppo*, 1893.

BACH, Jean-Sébastien. *Partita* pour flûte seule en *la* mineur BWV 1013, 1ᵉʳ mouvement : *Allemande*.

BACH, Jean-Sébastien. Suite pour violoncelle n° 1 en *sol* majeur BWV 1007, *Prélude*, 1720.

BACH, Jean-Sébastien. *le Clavier bien tempéré*, Prélude n° 1 en *do* majeur, BWV 846, 1722.

PROKOFIEV, Sergueï. *Roméo et Juliette* opus 64, acte 1 n° 13 *Danse des chevaliers*, 1935.

STRAUSS, Johann. *Le beau Danube bleu*, opus 314, 1866.

SAINT-SAENS, Camille, *Samson et Dalila*, acte 2 : *Mon cœur s'ouvre à ta voix*, acte 3 : *Bacchanale*, 1877.

RIMSKY-KORSAKOV, Nikolaï. *Shéhérazade* opus 35, 1888.

Remerciements

Merci à Myriam Caron Belzile, l'éditrice dont j'avais besoin. Enthousiasme et rigueur, intelligence et sensibilité : le mélange parfait.

Merci au docteur Stéphane Proulx, psychiatre à l'urgence de l'hôpital Notre-Dame à Montréal, qui a écouté attentivement le parcours d'Antoine : ses précisions m'ont éclairée.

À Mathieu Arsenault, pour son remarquable documentaire *Tenir tête*. S'il a « exterminé chimiquement une part divine de lui-même », sa part humaine est bien vivante.

J., L., D., A., S., qui ont eu le courage et la sagesse de reconnaître que leur santé mentale avait besoin de soins. Je les aime et les admire.

À « Jean-Louis », analphabète brillant, merci d'avoir accepté que j'évoque notre rencontre.

Merci à Mathieu Lussier, que j'aime et qui connaît la musique…

À Marjorie Tremblay, magnifique hautboïste qui m'a initiée aux anches et autres secrets de son instrument.

À Isabelle Peretz, pour la flûte de Geissenklösterle.

Merci à Leonard Cohen et Jean de Lafontaine, pour quelques mots empruntés avec amour.

Merci à Pierre Cayouette, premier lecteur bienveillant.

À Isabelle Pauzé, pour sa révision linguistique fine et précise.

Et finalement, merci à mon père qui aura trouvé un sens à la vie par la musique, jusqu'à sa mort.

Dans la même collection

Achille, Stéphane, *Corbeau et Novembre.*
Alarie, Donald, *David et les autres.*
Alarie, Donald, *J'attends ton appel.*
Alarie, Donald, *Thomas est de retour.*
Alarie, Donald, *Tu crois que ça va durer?*
Andrewes, Émilie, *Les cages humaines.*
Andrewes, Émilie, *Conspiration autour d'une chanson d'amour.*
Andrewes, Émilie, *Eldon d'or.*
Andrewes, Émilie, *Les mouches pauvres d'Ésope.*
April, J. P., *La danse de la fille sans jambes.*
April, J. P., *Les ensauvagés.*
April, J. P., *Histoires humanimales.*
April, J. P., *Mon père a tué la Terre.*
Aude, *Chrysalide.*
Aude, *L'homme au complet.*
Audet, Noël, *Les bonheurs d'un héros incertain.*
Audet, Noël, *Le roi des planeurs.*
Auger, Marie, *L'excision.*
Auger, Marie, *J'ai froid aux yeux.*
Auger, Marie, *Tombeau.*
Auger, Marie, *Le ventre en tête.*
Babin-Gagnon, Nathalie, *L'Absent.*
Beauséjour, Yves, *Toxic Paradise.*
Belkhodja, Katia, *La marchande de sable*
Belkhodja, Katia, *La peau des doigts.*
Blouin, Lise, *Dissonances.*
Bouyoucas, Pan, *Cocorico.*
Brochu, André, *Les Épervières.*
Brochu, André, *Le maître rêveur.*
Brochu, André, *La vie aux trousses.*
Bruneau, Serge, *Bienvenue Welcome.*
Bruneau, Serge, *L'enterrement de Lénine.*
Bruneau, Serge, *Hot Blues.*
Bruneau, Serge, *Quelques braises et du vent.*
Bruneau, Serge, *Rosa-Lux et la baie des Anges.*
Carrier, Roch, *Les moines dans la tour.*
Castillo Durante, Daniel, *Ce feu si lent de l'exil.*
Castillo Durante, Daniel, *La passion des nomades.*
Castillo Durante, Daniel, *Un café dans le Sud.*
Chatillon, Pierre, *Île était une fois.*
de Chevigny, Pierre, *S comme Sophie.*

Clark, Marie, *De tout petits cris serrés les uns contre les autres.*
Clark, Marie, *Le lieu précis de ma colère.*
Cliche, Anne Élaine, *Mon frère Ésaü.*
Cliche, Anne Élaine, *Rien et autres souvenirs.*
Corriveau, Hugues, *La gardienne des tableaux.*
Croft, Esther, *De belles paroles.*
Croft, Esther, *Le reste du temps.*
Delagrange, Iris, *Dévissage.*
Deschênes-Pradet, Maude, *La corbeille d'Alice.*
Deschênes-Pradet, Maude, *Hivernages.*
Désy, Jean, *Le coureur de froid.*
Désy, Jean, *L'île de Tayara.*
Désy, Jean, *Nepalium tremens.*
Drouin, William, *L'enfant dans la cage.*
Dubé, Danielle, *Le carnet de Léo.*
Dubé, Danielle et Yvon Paré, *Le bonheur est dans le Fjord.*
Dubé, Danielle et Yvon Paré, *Un été en Provence.*
Dumont, Claudine, *Anabiose.*
Dumont, Claudine, *La petite fille qui aimait Stephen King.*
Dupré, Louise, *L'été funambule.*
Dupré, Louise, *La Voie lactée.*
Ferretti, Andrée, *Pures et dures.*
Filteau-Chiba, Gabrielle, *Encabanée.*
Filteau-Chiba, Gabrielle, *Sauvagines.*
Forget, Marc, *Versicolor.*
Gagnon, Marie, *La mort du pusher.*
Gariépy, Pierre, *L'âge de Pierre.*
Gariépy, Pierre, *Blanca en sainte.*
Gariépy, Pierre, *Lomer Odyssée.*
Gariépy, Pierre, *Tam-Tam.*
Genest, Guy, *Bordel-Station.*
Gervais, Bertrand, *Comme dans un film des frères Coen.*
Gervais, Bertrand, *La dernière guerre.*
Gervais, Bertrand, *Gazole.*
Gervais, Bertrand, *L'île des Pas perdus.*
Gervais, Bertrand, *Le maître du Château rouge.*
Gervais, Bertrand, *La mort de J. R. Berger.*
Gervais, Bertrand, *Tessons.*
Guilbault, Anne, *Joies.*
Guilbault, Anne, *Les métamorphoses.*

Guilbault, Anne, *Pas de deux.*
Guy, Hélène, *Amours au noir.*
Hébert, François, *De Mumbai à Madurai. L'énigme de l'arrivée et de l'après-midi.*
Kattan, Naïm, *N'aie pas peur de la nuit.*
Laberge, Andrée, *Le fil ténu de l'âme.*
Laberge, Andrée, *Le fin fond de l'histoire.*
Laberge, Andrée, *La rivière du loup.*
Lachapelle, Lucie, *Les étrangères.*
Lachapelle, Lucie, *Histoires nordiques.*
La France, Micheline, *Le don d'Auguste.*
Lanouette, Jocelyn, *Les doigts croisés.*
Lavoie, Marie-Renée, *La petite et le vieux.*
Lavoie, Marie-Renée, *Le syndrome de la vis.*
Leblanc, Carl, *Artéfact.*
Leblanc, Carl, *Fruits.*
Léger, Hugo, *Le silence du banlieusard.*
Léger, Hugo, *Télésérie.*
Léger, Hugo, *Tous les corps naissent étrangers.*
Lepage, Éloïse, *Petits tableaux.*
Marceau, Claude, *Le viol de Marie-France O'Connor.*
Marcotte, Véronique, *Les revolvers sont des choses qui arrivent.*
Marquis, Antonin, *Les cigales.*
Martin, Patrice, *Le chapeau de Kafka.*
Massé, Carole, *La Gouffre.*
Mihali, Felicia, *Luc, le Chinois et moi.*
Mihali, Felicia, *Le pays du fromage.*
Millet, Pascal, *Animal.*
Millet, Pascal, *L'Iroquois.*
Millet, Pascal, *Québec aller simple.*
Millet, Pascal, *Sayonara.*
Moussette, Marcel, *L'hiver du Chinois.*
Ness, Clara, *Ainsi font-elles toutes.*
Ness, Clara, *Genèse de l'oubli.*
Ouaknine, Serge, *Le tao du tagueur.*
Ouellette-Michalska, Madeleine, *L'apprentissage.*
Ouellette-Michalska, Madeleine, *Jeux de hasard et de désir.*

Ouellette-Michalska, Madeleine, *La Parlante d'outre-mer.*
Paquette, Caroline, *Le monde par-dessus la tête.*
Paré, Yvon, *Les plus belles années.*
Péloquin, Michèle, *Les yeux des autres.*
Perron, Jean, *Les fiancés du 29 février.*
Perron, Jean, *Visions de Macao.*
Pigeon, Daniel, *Ceux qui partent.*
Pigeon, Daniel, *Chutes libres.*
Pigeon, Daniel, *Dépossession.*
Plourde, Danny, *Le peuple du décor.*
Psyché, Dynah, *Rouge la chair.*
Rioux, Hélène, *Âmes en peine au paradis perdu.*
Rioux, Hélène, *Le cimetière des éléphants.*
Rioux, Hélène, *Mercredi soir au Bout du monde.*
Rioux, Hélène, *Nuits blanches et jours de gloire.*
Riverin, Marie-Josée, *Les pièces tombées.*
Roger, Jean-Paul, *Un sourd fracas qui fuit à petits pas.*
Rondeau, Martyne, *Game over.*
Rondeau, Martyne, *Ravaler.*
Saint-Cyr, Romain, *Toujours en Afrique.*
Saucier, Jocelyne, *Il pleuvait des oiseaux.*
Saucier, Jocelyne, *Jeanne sur les routes.*
Saucier, Jocelyne, *La vie comme une image.*
Strévez La Salle, D., *Le saint patron des backpackers.*
Tapiero, Olivia, *Espaces.*
Thériault, Denis, *La fille qui n'existait pas.*
Tourangeau, Pierre, *La dot de la Mère Missel.*
Tourangeau, Pierre, *La moitié d'étoile.*
Tourangeau, Pierre, *Le retour d'Ariane.*
Trussart, Danielle, *Le Grand Jamais.*
Trussart, Danielle, *L'œil de la nuit.*
Vanasse, André, *Avenue De Lorimier.*
Vanier, Lyne, *La mémoire du sable.*
Villeneuve, Félix, *L'Horloger.*

Suivez-nous :

Réimprimé en mars deux mille vingt
sur les presses de l'imprimerie Gauvin,
Gatineau, Québec

L'intérieur de ce livre a été imprimé
sur papier québécois 100 % recyclé